CW00418706

ERICSSON AGUILAR

UN PACTO DE RESTAU-RACIÓN

LIBRE DE LA HOMOSEXUALIDAD

Un pacto de restauración
Libre de la homosexualidad

Impreso en Colombia

Paperback ISBN: 978-1-956625-32-5
Hardcover ISBN: 978-1-956625-34-9
eBook ISBN: 978-1-956625-33-2

Editado por Gisela Sawin

Publicado por Editorial Renacer
2071 NW 112 AV Suite 103
Miami, FL 33172

DEDICATORIA

Dedico este libro a mi Salvador eterno, quien aun antes de abrir mi corazón, me amó y se reveló a mi vida como el Padre que nunca me ha dejado y me sigue guiando cada día. Sin ti ninguna de las cosas que están escritas en este libro existirían.

A mi amada esposa Alejandra, que decidió creerle a Dios juntamente conmigo y creer en mi llamado a predicar el Evangelio por todo el mundo. ¡Gracias por ser mi mejor amiga! Agradezco todo tu amor y todos los sacrificios que has hecho para que este ministerio y este libro hoy sean realidad. Sin tus oraciones y tu dedicación, no podría ser quien soy ahora.

A mis hijos Emmanuel Alejandro y Milena Victoria, ustedes son el regalo más maravilloso que el Padre pudo enviarme. Son el fruto del amor y el poder del Espíritu Santo. Su existencia ha llenado mi vida de los mejores momentos. ¡Los amo!

A mis padres, que aun en mis peores momentos nunca dejaron de amarme y creerle a Dios. Gracias por no dejar de orar por mí, aun sin saber todo lo que Dios haría en mí y a través de mí.

A mis queridos hermanos a quienes tanto amo y quienes fueron mis únicos amigos en mi niñez.

A mis pastores Frank y Zayda López, por su apoyo incondicional de siempre y sus preciados consejos.

A todas las personas que a través de los años han aportado algo a mi crecimiento espiritual.

A todos... ¡Gracias!

CONTENIDO

Dedicatoria 3
Prólogo 7
Introducción.................................... 9

CAPÍTULO 1
Una vida al borde del abismo 13

CAPÍTULO 2
Atrapado por mis propias palabras.................. 25

CAPÍTULO 3
La lucha por la aceptación............................ 35

CAPÍTULO 4
Cuesta abajo en el barranco 45

CAPÍTULO 5
Lo inesperado ocurrió 53

CAPÍTULO 6
Tormentas espirituales............................ 61

CAPÍTULO 7
Conocer el amor.................................. 69

CAPÍTULO 8
El Espíritu Santo: entrenador de parejas 79

CAPÍTULO 9
Una esperanza real traerá cambios reales. 91
CAPÍTULO 10
¿Nací homosexual? 101
CAPÍTULO 11
Los científicos dicen.... 111
CAPÍTULO 12
Espíritus que gobiernan la sexualidad 123
CAPÍTULO 13
Tu verdadera identidad 135
CAPÍTULO 14
Babilonia hoy 145
CAPÍTULO 15
Un pacto de restauración. 157

Epílogo 169

PRÓLOGO

A través de la historia del ser humano, en miles de años de su existencia, vemos una y otra vez la mentira planeada por Satanás para esclavizar y maldecir. Una de sus estrategias más poderosas es robarle la identidad sexual al hombre y a la mujer ofreciéndole un libertinaje falso donde los demonios toman territorios y establecen maldiciones generacionales. Solo Jesús tiene el poder para destruir las obras de Satanás. Eso quiere decir que solo la Iglesia tiene el poder para hacer libre al hombre de tal engaño y de tal esclavitud. Una iglesia indiferente o que compromete la verdad de Dios, es la cómplice más grande que Satanás puede tener para multiplicar su maldad.

Gracias Ericsson por tener la valentía de escribir este libro tan poderoso. Escuchar tu testimonio, ver los frutos del poder restaurador de Dios en tu vida, conocer a tu hermosa familia, ¡es algo maravilloso! Si Dios lo hizo con Ericsson, puede hacerlo con todo aquel que entrega su vida a Jesús, el Hijo de Dios, y pone su fe en Él.

Un pacto de restauración. Libre de la homosexualidad, es un libro lleno de revelación, de poder y es un instrumento que salvará y restaurará a multitudes a través de los años. Es mi fe y mi oración que este libro despierte un poderoso mover del Espíritu Santo con denuedo, atrevimiento, pasión y el amor incondicional de Dios para salvar a esta generación que está creciendo en medio de una cultura perversa y manipulada por el mismo Satanás.

Dios nos ama y quiere que seamos libres. Él venció la muerte para mostrarnos Su poder infinito. Él murió en la cruz del Calvario para revelarnos Su amor incondicional y para proveernos el camino a la libertad. Jesús es el gran libertador.

Doy gracias a Dios por la vida de Ericsson, de su esposa Alejandra y de sus hermosos hijos. Como familia representan la realidad de Dios, la libertad de Jesús y la esperanza para tantas personas que están pasando por momentos difíciles con sus familiares y con ellos mismos.

Gracias Ericsson por este libro sorprendente, escrito con sinceridad y sabiduría.

Los amo y estoy muy orgulloso de ustedes.

—Pr. Frank López
Iglesia Jesus Worship Center
Miami, Florida

INTRODUCCIÓN

Durante mi niñez tuve muchas experiencias negativas que fueron formando mi identidad y mi visión acerca de la sexualidad. A los dieciocho años decidí salir del clóset y me declaré homosexual. Aunque no tenía idea de lo que verdaderamente significaba eso, o de las consecuencias que esa decisión tendría, pronto comprendí que no todo era risas y abrazos, y así experimenté el lado más oscuro de la homosexualidad.

De pequeño aprendí acerca de un Dios que te enviaba al infierno y buscaba castigarte en todo momento, pero un día, en el lugar que menos imaginaba, conocí a un Dios que me abrazó. Allí pude ver al Espíritu Santo y experimentarlo de forma real. Aquel que me había tocado no parecía ser el Dios del que me habían enseñado y comprendí que tenía que conocerlo de una manera personal e íntima. Si iba a cambiar algo en mí, tenía que ser por mi propia experiencia con Él.

Esa decisión trajo muchos enemigos y tiempos de soledad, pero en ese momento mis ojos fueron abiertos a una dimensión de intimidad con el Espíritu Santo que nunca antes había conocido. Me tomó mucho tiempo poder escribir todo lo que está en este libro, ya que por años sentí vergüenza hablar de mi pasado, pero un día comprendí que, si no lo hacía, estaba robándole la gloria a Dios. Debía mostrarle al mundo el poder transformador de Su verdad.

Un pacto de restauración es el que produce una verdadera transformación por el único y verdadero Dios. Es un compromiso primeramente con Él y luego conmigo mismo de permitirle al Espíritu Santo ingresar a todas las áreas de mi vida y hacerme un hombre nuevo formado de acuerdo a la identidad creada por Dios. El pacto de restauración produjo cambios en las relaciones familiares rotas, sanó las heridas y trajo plenitud y propósito eterno en mi vida.

En un mundo moderno de constante cambio, donde nuevas ideologías nacen constantemente y tanta gente está siendo engañada por una imagen falsa de lo que es ser hombre o mujer, el Pacto de restauración es una luz en medio de las tinieblas. Estas páginas alumbrarán el camino de aquellos que deciden dar un paso hacia la transformación para volver a la imagen de la creación original. Aquellos que se han dado cuenta de que la homosexualidad no es lo que les contaron. Aquellas familias confundidas, dolidas que hoy están enfrentadas con alguien a quien aman y no saben qué hacer para guiarlos a la verdad.

Hoy tienes en tus manos este libro donde encontrarás las experiencias que he vivido en primera persona. Si al finalizar estas páginas decides conocer al Padre que siempre te ha amado, y hallas las herramientas para restaurar las relaciones con tus seres queridos, entonces habré cumplido el objetivo de escribirlo.

Cuando la maldad desbordó en el mundo, Dios envió un gran diluvio donde solo aquellos que creyeron fueron salvos de las consecuencias. Luego de esa situación, Dios hizo pacto con Noé y su familia, brindándole una nueva oportunidad, diciéndole: «Esta es la señal del pacto que yo establezco entre mí y vosotros y todo ser viviente que está con vosotros, por siglos perpetuos: Mi arco he puesto en las nubes, el cual será por señal del pacto entre mí y la tierra» (Génesis 9:12-13).

Desde ese día el arcoíris resplandece sobre la atmósfera terrestre como un arco multicolor que nos recuerda a todos los seres humanos que Dios hizo pacto con nosotros. Lo hizo conmigo y también quiere hacerlo contigo. ¿Aceptarás ver el arcoíris como te lo propuso Dios o como lo proponen aquellos que quieren tu destrucción?

—Ericsson Aguilar

CAPÍTULO 1

Una vida al borde del abismo

Había «salido del clóset». Ya nada más me importaba, solo quería vivir a mi manera. La promiscuidad se había transformado en mi forma de vida. Aun siendo menor de edad, entraba a las discotecas con mis amigos y todo joven que veía, me interesaba. Me acercaba e inmediatamente iniciaba un vínculo de amistad que luego terminaba en algo más. Este era el estilo de vida homosexual que estaba viviendo: sexo, alcohol, drogas y fiestas.

Cuando tenía veinte años conocí a un muchacho que era varios años mayor que yo. Realmente me atraía mucho, y comenzamos a vernos frecuentemente hasta considerar que ya éramos novios. Sin embargo, yo seguía hablando con otros chicos al mismo tiempo, siempre buscando algo más, nuevas experiencias. Lo que tenía, nunca era suficiente.

Un fin de semana, mientras estábamos en su casa, escuché el sonido de un mensaje que llegó a mi teléfono a las cuatro de la madrugada, pero lo ignoré y continué durmiendo. Era el mensaje de otro muchacho con el cual me había estado hablando durante esos días. Al parecer, mi «novio» decidió leerlo. Al hacerlo comenzó a gritarme hasta que se fue de la habitación. Al escuchar sus gritos, entre dormido me levanté y me senté a la orilla de la cama. De pronto sentí que algo se estrelló contra mi rostro y luego escuché el sonido de vidrios romperse. Al tocar mi cara mis manos se ensangrentaron, eran tantas heridas profundas, que la sangre se escurría por todo mi pecho. Mientras todo esto ocurría, Él estaba parado frente a la puerta, mirándome.

Me puse de pie y quise salir de la habitación, pero no me lo permitía. Me empujó y cayó sobre mí. En mi interior sabía que estaba dispuesto a matarme. Me quitó el teléfono de las manos y lo lanzó contra la pared. A causa de la cantidad de sangre derramada en el piso, me resbalé, y vi que debajo de la cama había un cuchillo. Pensé: «Si no lo tomo primero, lo agarrará él, y me matará». Inmediatamente estiré mi brazo, tomé el cuchillo y me abalancé sobre él. Mientras mis manos temblaban, se lo puse en la garganta y le dije: «Si no me dejas salir, te mato».

En ese instante se corrió de la puerta y salí corriendo de la habitación. Desde el teléfono de la casa llamé el 911, pero al ver lo que estaba haciendo, me lo arrancó de las manos. Entonces me encerré en el baño, y minutos después escuché llegar a la policía. Recién entonces pude salir. Finalmente, me llevaron al hospital y allí limpiaron las heridas sangrantes de mi rostro. Excepto las heridas de mi alma.

Esa madrugada, al ver en las condiciones que me encontraba, decidí dejarlo y regresar a la casa de mis padres. Ya estaba amaneciendo, golpeé la puerta y mi madre me recibió. Me preguntó qué me había ocurrido, pero era imposible que le contara la verdad. Y una vez más, le mentí. Le dije que me había caído patinando sobre el hielo, y que me había cortado con un vidrio.

Así era mi vida, mentira tras mentira. Una búsqueda sin sentido en los caminos equivocados. Pero... ¿Qué estaba buscando? ¿Cómo había llegado hasta ese punto de poner en riesgo mi propia vida? ¿Cómo había permitido que alguien me maltratara hasta casi matarme? ¿En qué me había transformado? Yo mismo no me reconocía.

En medio de todos estos cuestionamientos regresaron muchos recuerdos de mi infancia en mi pequeña ciudad en El Salvador. Recordaba a mis dos hermanos y a mis padres, que me tuvieron cuando eran muy jóvenes. Por un lado, la tragedia de una pesadilla que casi acabó con mi vida, por el otro, muchos recuerdos muy felices de mi niñez.

Recordé a mi padre trabajar mucho para proveer lo necesario para la familia. Y a pesar de su gran esfuerzo, siempre estuvo presente. Aunque crecí con muchas limitaciones, nunca me faltó el amor. No olvidaré el día que me enseñó a montar una bicicleta usada y vieja que alguien me había regalado. Como no tenía ruedas laterales de entrenamiento, él siempre estaba ahí, cerca, preparado para sostenerme en caso de que me cayera y me lastimara. Mi padre siempre fue oportuno para brindarme su ayuda.

Mi madre, una mujer muy fiel a la iglesia y a la familia. Siempre me llevaba con ella a las reuniones, aunque yo no quería ir. La mayoría de mi familia era cristiana y todos asistíamos a una iglesia evangélica muy tradicional.

ALGO INTERNO TRABAJABA EN MI CONTRA

Conforme iba creciendo se incrementaban mis dificultades para relacionarme con otros niños. Asistí al jardín infantil pocos meses, ya que un compañero de mi misma edad me clavó un lápiz en el pecho. Al ver que los maestros no hicieron nada ante esa situación, mis padres decidieron no enviarme más hasta que fuera un poco más grande. Así fue que comencé directamente la escuela primaria. Como notarás, mi madre era una mujer sobreprotectora. En parte esto parecía bueno, pero en verdad, no lo era.

Desde pequeño sentía que ninguno de los niños quería ser mi amigo o jugar conmigo. Esto me hacía sentir despreciado y fuera de lugar, pero con el tiempo, lo olvidé. Crecí creyendo que, si nunca hablábamos de nuestras emociones, era mucho más fácil «sobrevivir». Sí, «sobrevivir», no «vivir». Por esa razón, nunca les dije nada a mis papás acerca de cómo me sentía.

Los únicos amigos con los que jugaba eran mis primos. Eso mantenía todo bajo los parámetros de la «normalidad» para mi corta edad y de acuerdo con lo que mi mente podía comprender. Nunca cuestioné la razón del porqué los niños no querían ser mis amigos. Era como si desde mi infancia, algo estaba *trabajando en mi contra.* De esta forma lo interpretaba, y así simplemente lo creía.

En una ocasión, cuando tenía aproximadamente cuatro años, fui con mi papá a un centro de llamadas o locutorio (lugar donde rentabas tiempo para poder realizar llamadas telefónicas), pues para ese entonces no teníamos teléfono en mi casa. Mientras mi papá hacía una llamada, yo esperaba sentado fuera de la cabina, conversando con una señora. Al finalizar la llamada, mi papá me pidió que nos fuéramos, y yo me rehusé, quería seguir hablando con ella. Pero me tomó fuertemente de la mano y me dijo: «Ericsson, tenemos que irnos». Regresamos a casa caminando sin decir una sola palabra. Al llegar, mi padre se quitó el cinturón de su pantalón y me dijo: «Cuando yo te digo algo, tienes que obedecer a la primera vez». Nunca antes mi padre me había golpeado tan fuerte. Mis piernas quedaron marcadas, y también mi corazón.

Desde ese momento, sin saberlo, algo sucedió dentro de mí. Una semilla de desprecio y resentimiento quedó sembrada. Comencé a desarrollar una manera diferente y negativa de pensar. Creía que mi papá no me amaba, e interiormente sentí un profundo rechazo en mi corazón hacia él (aunque nunca lo supo). Aquellas marcas en mis piernas hicieron más profunda la herida en mi corazón. Y aunque con el tiempo las marcas de mis piernas desaparecieron, las de mi corazón comenzaron a influenciar en mi vida.

Un día, a los siete años aproximadamente, estaba jugando frente a mi casa cuando uno de mis primos, mayor que yo, se me acercó y me pidió que lo acompañara porque quería mostrarme algo. Éramos muy cercanos y por eso confiaba en él y no dude en seguirlo.

Cuando estábamos solos, él se bajó sus pantalones y me pidió que le tocara los genitales. Como era más alto y fuerte, me forzó a hacerlo. Dentro de mí algo me decía que lo que estaba pasando no debería de suceder. En mi interior algo me decía: «Esto está mal». Me sentí confundido y no sabía qué hacer, estaba paralizado.

Regresé a casa pensando en lo que había ocurrido, contemplando la idea de decirles lo ocurrido a mis padres, pero en ese momento vino a mi mente la escena cuando ambos me castigaron por travesuras, y pensé: «No... si les digo lo que sucedió, me culparán y me castigarán de nuevo». Así que decidí callarlo y mantenerlo escondido en mi corazón. Ese fue el comienzo de una situación que se repitió muchas veces a través del tiempo.

Mis sentimientos y emociones comenzaron a confundirme. Nunca había experimentado ninguna actividad sexual antes, aunque siempre me sentía más atraído a estar cerca de mi primo. Cada vez que nos veíamos me decía: «No le digas a nadie. Nadie puede saber lo que hacemos». Estas son las típicas palabras con las que un depredador sexual acalla la voz de un niño.

Después de un tiempo, aquel primer pensamiento de temor y confusión se volvió normal, y entonces era yo quien lo buscaba para repetir el momento. En mi pensamiento infantil comencé a creer que era normal lo que hacíamos. Realmente no entendía lo que ahora sé. Hoy comprendo que el enemigo estaba regando semillas en mi mente, y se encargaría de hacerlas crecer a través de los años. Trabajaría con ellas lentamente hasta alcanzar su objetivo. Todo pensamiento tiene que ser reafirmado verbal o físicamente.

UN PLAN CON UN PROPÓSITO

Los días pasaban y comencé a sentirme atraído por otros niños, no de una forma sexual, pero a desarrollar una atracción física hacia los varones mayores que yo. Ahora entiendo que en lo más profundo de mi ser deseaba que un chico más fuerte, más valiente que yo, me librara de lo que me estaba pasando. En la mente de ese niño estaba la escena de una película donde la princesa está atrapada en un lugar tenebroso y es rescatada por un príncipe valiente. Nunca decía nada, solo eran pensamientos que ingresaban a mi mente y se mantenían ahí.

Pero algo extraño comenzó a suceder cuando estaba en cuarto grado. De repente, muchachos mayores que yo empezaron a acosarme. Una tarde, un joven me encerró en el baño de la escuela y me pidió que lo tocara, y que él haría lo mismo conmigo. Era exactamente lo mismo que solía hacer con mi primo, así que no pensé que tuviera nada de malo, de hecho, quería hacerlo. Esa fue la primera de varios encuentros que continuaron después. Luego otro chico, amigo de este, también me buscó. Cuando el año escolar terminó, nunca más volvió a suceder. Para este momento, nunca me había animado a hablar con nadie, estaba decidido a guardar lo vivido en mi corazón.

Mi madre notó una actitud diferente en mí y decidió llevarme a ver a un psicólogo, porque supuestamente no me llevaba bien con mi hermano. Luego comprendí que el verdadero motivo de esa consulta era que ella ya sospechaba que yo podía ser homosexual, pero nunca dijo nada.

Lastimosamente, si algo aprendí de mis consultas con los psicólogos, fue a esconder mis verdaderas emociones. Cuanto más querían saber acerca de mi interior, más lo ocultaba. Descubrí cómo darles fuerza a esos ciclos de pensamientos. Necesitaba esconder mis emociones, aun sabiendo que lo que sentía y pensaba era incorrecto.

En la iglesia había escuchado varias veces y por diferentes medios de comunicación que, ser homosexual era un pecado que llevaría a la persona a «quemarse en las llamas del infierno». Los adultos que me rodeaban se expresaban así de aquellos que se atrevían a «salir del clóset» y vivir abiertamente. Escuchaba las burlas, los maltratos y los rechazos de la sociedad hacia ellos.

Mi papá era muy estricto y me había prohibido ser amigo de cualquier niño que tuviera tendencias homosexuales o actitudes afeminadas. En una ocasión, mi padre fue a buscarme a la escuela y me vio salir de la clase con otro niño al que le llamaré «Juan». Todos en la ciudad sabían que «Juan» había sido violado sexualmente. Cuando subí al automóvil, lo primero que me dijo mi papá fue: «No te quiero volver a ver conversando o asociándote con ese muchacho. Quiero que te alejes de él». Aunque nunca me dijo el porqué, lo obedecí.

Todas estas cosas me incentivaron a esconder mis pensamientos. Debía luchar solo con lo que me estaba pasando. Tenía la absoluta claridad que como resultado de lo que había aprendido desde niño, eso que deseaba me llevaría al infierno y al rechazo de toda la sociedad, y en especial de mi familia. Así que, lo único que pude hacer fue ignorarlo, como si nada estuviera pasando.

Durante los años que duró mi escuela primaria y elemental, experimenté un infierno personal entre mis pensamientos y mi corazón. En la escuela, la mayoría de mis compañeros me rechazaban y se burlaban de mí. Por una u otra razón me ponían sobrenombres, apodos, y cada uno de estos eran en referencia a la homosexualidad o a mi manera afeminada de ser.

Hoy, a la distancia que el tiempo da, puedo identificar que Satanás y su ejército tenían una misión: marcar mi corazón y mi identidad con semillas de decepción y rechazo, y así llevarme a perder la esperanza.

«Más allá de lo que estés pasando, no pierdas la esperanza, porque aun al árbol caído le queda la esperanza de volver a retoñar»

ACOSADO EN TODO LUGAR

Cuando cumplí doce años, mis padres decidieron enviarme a un colegio cristiano. Esta elección no fue un intento de resolver lo que yo estaba viviendo en mi interior, porque ellos no lo sabían, jamás se los compartí. Bastaba con la lucha interna que padecía a mi corta edad.

Sin embargo, pensé que asistir a un colegio cristiano traería un cambio a mi vida, pues nadie me conocía y eso me daba «tranquilidad». Durante las primeras semanas todo iba bien, pero pronto comenzó el acoso por parte de unas compañeras. Ellas me hicieron «la vida de a cuadritos». Creaban rumores y mentiras. Realmente el enemigo estaba empeñado en destruirme, pero lo difícil de comprender era que eso estaba ocurriendo dentro de una escuela cristiana, donde teníamos devocionales y otras actividades religiosas.

No concebía que los mismos estudiantes «cristianos», que una hora antes estaban adorando y cantando himnos, después me hicieran la vida imposible hasta hacerme sentir como una basura. Me sentía incapaz e impotente. Estaba rodeado de jóvenes mayores que yo, que estaban ciegos e insensibles a lo que me estaba sucediendo. Al parecer, mi destino era sufrir, ser acosado y rechazado, dondequiera que fuera.

Lógicamente mi rendimiento académico se vio afectado y mis calificaciones eran bajas. Mis padres me regañaban constantemente por mis resultados, y apenas pude aprobar el año. A veces lo que necesitamos es sentir que importamos, que alguien, sin hacernos sentir juzgados, nos pregunte qué nos está pasando.

Vivía soñando despierto. Creaba en mi mente una realidad, un mundo donde yo era feliz y todos mis compañeros eran mis amigos. Pero, ninguna de estas cosas ocurría.

Durante un corto tiempo tuve un amigo. Él me defendía de los demás y me acompañaba a la parada del autobús. Esta amistad se mantuvo por seis meses. De repente, desapareció, y nunca más supe nada de él. Ese fue mi primer encuentro con la soledad. Interiormente comencé a desarrollar un resentimiento hacia los «cristianos», porque aún dentro del colegio se burlaban, me acosaban y me abandonaban.

Aún en mi propia casa me sentía fuera de lugar. Anhelaba tener una relación más íntima con mis padres, pero sentía que, si les abría mi corazón, no me entenderían y probablemente me echarían la culpa. A la vez sentía que ellos favorecían más a mi segundo hermano, que era extrovertido, popular y sobresalía en todas sus actividades. Además de que todos querían ser sus amigos. Él representaba lo que yo soñaba ser.

Mientras tanto, me estaba ahogando por dentro. Era un adolescente y no tenía a dónde ir. Miro el espejo retrovisor de mi vida y puedo verme triste, llorando y al mismo tiempo identificar la realidad de muchos niños hoy. Jovencitos que luego forman parte de enormes estadísticas de suicidios por no tener con quién hablar y que pueda comprenderlos, o por ser víctimas del acoso escolar y familiar.

Por mi parte, aunque vivía en un ámbito rodeado de cristianos, puedo asegurarte que no conocía a un Dios que me amara, aceptara y demostrara Su gracia. Solo me habían enseñado acerca de un Dios que castigaba, condenaba y te enviaba al infierno por cualquier error. A causa de todo esto ahogué mis emociones en mi subconsciente, como si nada estuviera ocurriendo. Mis recuerdos de estudiante no fueron placenteros.

«Dios siempre está cerca para salvar a los que no tienen ni ánimo ni esperanza» (Salmo 34:18 TLA).

SU BÚSQUEDA POR SALVAR MI VIDA

Quizás estés pensando: Pero, si Dios es amor ¿por qué permite que esas cosas sucedan? Creo que no debemos poner a Dios en medio de esta situación. Es injusto culparlo a Él, pues todo lo que he vivido han sido pura y exclusivamente acciones del hombre impulsadas por el mismo enemigo de nuestra alma, quien ya había determinado un plan de muerte para mí.

Hoy, con el correr de los años, creo que fue necesario vivirlas para luego comprender que un día, aquello que se suponía que me destruiría, fue lo que me ayudó a comprender y empatizar con miles de jóvenes que han perdido la esperanza. A través de mi experiencia, puedo acercarlos a la verdad que me hizo libre del dolor y del peso de la culpa que el enemigo había puesto sobre mi vida. Luego llega el arrepentimiento y la convicción de que Dios tiene un plan y un propósito, y que el enemigo de tu alma, quería que fracasara.

Pero no debemos olvidar lo que nuestro Señor Jesús nos enseñó: «Les he dicho todo lo anterior para que en mí tengan paz. Aquí en el mundo tendrán muchas pruebas y tristezas; pero anímense, porque yo he vencido al mundo» (Juan 16:33 NTV).

Aunque por años persistí en el error, el Espíritu Santo me buscó incansablemente hasta darme la oportunidad de conocerlo. El camino del error todavía estaba frente a mí. Mientras el Espíritu Santo me buscaba, intenté vivir de la única manera que sabía: Ignorándolo.

CAPÍTULO 2

Atrapado por mis propias palabras

Como muchas otras familias, mis padres decidieron emigrar a los Estados Unidos, al estado de Nueva York. Anhelaban un futuro mejor para ellos y para nosotros. Cuando comenzaron a organizar este viaje, causó en mí una gran emoción. Vivir en los Estados Unidos a los quince años era la oportunidad de experimentar una nueva cultura, encontrar nuevos amigos y tener la posibilidad de comenzar de nuevo dejando atrás el pasado y los momentos traumáticos que había vivido. Nacía dentro de mí una esperanza. Llegar a un lugar totalmente desconocido donde nadie sabía absolutamente nada de mí, era un nuevo horizonte lleno de expectativa.

Pero no todo sucedió como lo imaginaba. Al llegar comenzaron las dificultades. No fue sencillo enfrentar una nueva vida sin hablar el idioma y sin conocer absolutamente a nadie. Este cambio fue un verdadero desafío para toda la familia.

Junto a mis hermanos nos inscribimos en una escuela de Nueva York. Eso me ponía muy nervioso. Las dudas me asaltaban nuevamente: «¿Volveré a vivir lo mismo que antes?».

Pero fue una buena experiencia, ya que no advertí ninguna de las cosas que había vivido en el pasado. Por primera vez comencé a tener amigos. Las personas se me acercaban, quizás porque solo algunos pocos jóvenes hablaban español, ya que la mayoría de ellos eran anglosajones. Quizás esto les resultaba interesante. Aunque el ambiente que me rodeaba me hacía sentir bien, surgieron nuevas libertades en medio de una cultura mucho más permisiva que la que vivíamos en El Salvador. Al cumplir los dieciséis años resurgió en mi interior una lucha intensa entre quién en verdad era y en quién me estaba convirtiendo.

Ante la accesibilidad que me brindaba el país de poder navegar libremente en la Internet, produjo una mayor curiosidad y aumentó el deseo por experimentar cosas diferentes. Quería saber más, y me llamaba la atención chatear con muchachos. En algunas oportunidades pretendí hacerme pasar por mujer y ver qué respuestas recibía.

Como la necesidad económica era mucha, algunos días a la semana comencé a trabajar en un restaurante como mesero. Allí conocí a dos muchachas, una de las cuales era lesbiana y a la otra le fascinaba tener amigos homosexuales. Durante nuestro tiempo de almuerzo, antes de comenzar a trabajar, ellas siempre contaban sus aventuras de discotecas. Relatos que me parecían fascinantes.

Mientras almorzábamos, una de ellas me dijo:

—Ericsson, quiero hacerte una pregunta.

—Dime, —respondí amigablemente.

—Eres homosexual, ¿verdad? ¿Te gustan los hombres?

Al escuchar esas preguntas realmente ¡quedé en shock!

—¡No! ¡Absolutamente no! ¡No soy homosexual! —le respondí.

Interiormente me cuestioné: ¿Por qué me hace esta pregunta? ¿Qué le hace pensar que lo soy?

De inmediato me remonté al momento cuando mi mamá me hizo la misma pregunta diciendo: «Ericsson, ¿eres homosexual?». Lógicamente lo negué, me enojé y le respondí: «Madre, ¡usted está paranoica y solo piensa ridiculeces!».

Pero mi compañera de trabajo, la muchacha lesbiana, dio un paso más al decir: «Bueno, puede que no lo sepas aún, ¡pero sí lo eres!». La insistencia de parte de ellas fue tal que por primera vez en mi vida le dije a alguien lo que por tanto tiempo había contemplado solo en mis pensamientos: «Nadie sabe esto, pero te lo diré: Nunca he estado sexualmente con un hombre, pero en verdad, me atraen».

Antes de continuar quiero enfatizar que Satanás siempre te seducirá encontrando la manera de sembrar una semilla nueva o regar aquella que ya está plantada en tu cabeza con memorias o eventos dolorosos. De una u otra manera se encargará de hacer crecer lo que ha guardado en tu mente para dejarlo impreso en el corazón.

La Palabra de Dios dice que en nuestra boca está el poder de la vida y de la muerte y lo que declaremos sobre nuestra vida, eso sucederá. Así ocurrió conmigo. Todo lo que había pasado fue la antesala de lo que estaba por venir. Este era un momento definitivo en mi vida.

LA ESCALERA DESCENDENTE

Esta conversación con mis compañeras de trabajo despertó muchas dudas en mí. Los pensamientos, hasta ese momento anestesiados, volvieron a surgir: «¿Será que en verdad soy homosexual?». Pensaba en ello una y otra vez, de día y de noche daba vueltas en mi mente.

Un día de verano, en 2003, esta misma joven me dijo: «Te voy a demostrar que eres homosexual. Después del trabajo iremos a un lugar que te va a gustar».

Acepté la invitación y fuimos a un bar donde frecuentaban homosexuales. Aunque en mi interior sabía que estaba haciendo algo incorrecto, decidí experimentar ese momento y lo que podía producir en mí.

Al llegar noté que varios de los que allí estaban, ya conocían a mi compañera. Ella se encargó de decirles a todos que era mi primera vez en un «bar gay». Lógicamente, se acercaron a darme la bienvenida y a saludarme. Me abrazaron, se reían conmigo y hasta me regalaban tragos. La sensación que produjo en mi interior fue la de haber encontrado un lugar donde me sentía aceptado.

Esa noche, mientras regresaba a mi casa, pensaba en la música, las luces y las risas, y para ser honesto, todo se asemejaba a un sueño maravilloso. ¡Por fin había hallado lo que me gustaba!

Mi amiga, luego de haberse encargado de mostrarme la mejor versión de ese lugar, me preguntó:

—¿Qué te pareció?

Con una sonrisa en el rostro le respondí:

—Me gustó mucho. Creo que en verdad soy homosexual.

—Te lo dije, —me respondió.

Esta muchacha llegó a ser mi mejor amiga, y con el tiempo, mi mentora. Mi vida giraba en torno a ella a través de sus historias. Pero esto era el comienzo y despertó en mí el deseo de querer saber más. Anhelaba conocer a otros jóvenes como yo. Esto me llevó a abrir de par en par la puerta a la homosexualidad, todo desde mi propia voluntad.

«Cuando el corazón está fragmentado todo se ve oscuro y eso evita que miremos hacia dónde vamos.»

Mi vida continuó transitando un precipicio sinuoso y descendente que terminaría en el lugar más oscuro de mi existencia. Sin todavía entender esta verdad decidí continuar visitando el bar, pero ya no era suficiente con tan solo escuchar música, quería algo más emocionante. Un día, mis amigas me invitaron a conocer otra «discoteca gay». Nunca antes había entrado a una, y no sabía que me depararía ese lugar.

Cuando llegamos se suponía que no me permitirían entrar ya que era menor de veintiún años, pero ellas sabían cómo conseguir el permiso. Fue extraño estar allí. Me sentía fuera de mi espacio de seguridad. No sabía hacia dónde mirar. Había hombres sin camisa bailando mientras que en las pantallas pasaban imágenes pornográficas que nunca antes había visto. Había muchachos bailando con otros hombres. Cada minuto que pasaba, el sonido, las luces y las imágenes me envolvían y atrapaban más y más. Luego mis amigas me ofrecieron una bebida con alcohol, difícil de olvidar.

Nuevamente todos se acercaban a saludarme, aún los desconocidos eran amigables. Allí también me aceptaban tal y como era, o por lo menos eso parecía. Una vez más confirmé mi decisión y dije: «Esto es lo que tanto buscaba. Esto es lo que quiero. ¡Soy homosexual!». Quería que la noche fuera eterna y fuera mía. Quería quedarme ahí, en especial cuando un chico me pidió que bailara con él.

Mi declaración y confesión abrieron una puerta que durante años solo me trajo destrucción. Por esa razón, lo que creemos y confesamos con nuestra boca tiene un poder mucho mayor del que podemos imaginar.

La Biblia dice: «Te has enlazado con las palabras de tu boca, y has quedado preso en los dichos de tus labios» (Proverbios 6:2 RVR1960). También dice: «Tú solo te pones la trampa: quedas atrapado en tus propias palabras» (Proverbios 6:2 DHH).

UN PLAN ORQUESTADO

Al finalizar esa noche, dentro mío deseaba poder regresar a ese lugar. Sentía que mis amigas habían hecho algo importante al ayudarme a encontrarme a mí mismo y finalmente declarar públicamente quién realmente creía ser.

El paso siguiente fue frecuentar secretamente las salas de chat por internet y explorar sitios donde podía hablar con otros hombres sin ser supervisado y con el anonimato que te dan esos espacios que seducen tu alma y tu espíritu.

Aunque por un lado estaba feliz, por otro me sentía atrapado. Sabía que no podría nunca vivir libremente esa realidad. Cargaría con ese secreto el resto de mi vida, aunque en mi interior quería que todos lo supieran. Eran tantos sentimientos y pensamientos encontrados, que no sabía qué hacer.

Una noche, mientras estaba escribiendo en uno de esos chats, empecé a conversar con un joven de mi misma edad. Inicialmente solo nos escribíamos por internet, pero después de varias semanas dio un paso más allá y me pasó su número telefónico. Cuando mis padres no estaban en casa, nos llamábamos y conversábamos por horas. Me gustaba hablar con él, aunque nunca lo había visto.

Este nuevo amigo, a quien llamaré «Brandon», tenía una hermana que llamaba a mi casa haciéndose pasar por mi amiga, para que mis padres creyeran que era con ella con quien pasaba tanto tiempo hablando. Así que, todas las noches, ella me llamaba y luego le entregaba el teléfono a su hermano.

Después de varios meses de conversar telefónicamente, decidimos organizar un plan para vernos. Lo único que nos lo impedía hacerlo abiertamente era mis padres. Ellos no tenían idea que había estado ocultando esta relación de amistad durante varios meses.

Luego de pensar varias formas de encontrarnos, decidí ser yo quien lo visitara. Les dije a mis padres que iría a la casa de mi amiga y su familia, a pasar un fin de semana con ella. Aunque con algunas dudas, ya que nunca me habían permitido quedarme a dormir en la casa de mis amigos, me dejaron ir. Ya tenía diecisiete años y les aseguré que no tenían de qué preocuparse, que podía cuidarme solo. Así fue que un viernes al mediodía tomé un autobús y viajé hacia la ciudad donde vivía Brandon.

Durante el viaje, de a momentos me sentía nervioso, no por verlo a él, sino de tan solo pensar qué ocurriría si mis padres descubrieran la verdad. Para ese entonces no tenía teléfono celular, pero habíamos acordado encontrarnos a cierta hora, en un lugar específico. Vernos fue como si nos hubiéramos conocido desde hacía mucho tiempo. Fuimos a su casa, y luego salimos a divertirnos. Éramos dos buenos amigos. Me sentía muy bien cerca de él. Nunca había tenido un amigo de verdad, y mucho menos uno que fuera homosexual.

La noche antes de regresar a casa, así, de la nada, Brandon me besó. Eso intensificó mis pensamientos y emociones. Hay cosas que parecen inofensivas e inocentes, pero no lo son, porque engañoso es el corazón. Cuando me despedí de Brandon para regresar a casa sentí un gran vacío en mi interior. Por primera vez me había sentido libre y sin la mirada acusadora de mis padres. No tenía temor de que alguien me viera hablando con un chico.

A causa de la distracción del momento vivido perdí el autobús que me llevaba de regreso a casa y Brandon tuvo que llamar a mi mamá para decirle que llegaría una hora más tarde. Al llegar mi mamá me estaba esperando en la estación de autobuses de Nueva York.

En cuanto subí al vehículo me preguntó cómo lo había pasado, y yo solo respondí: «Muy bien». Luego me dijo: «Sé que no fuiste a ver a tu amiga, sino a su hermano Brandon para pasar el fin de semana con él». A lo que simplemente respondí: «Piense lo que quiera. Me da igual». Giré mi cabeza y me quedé mirando a través de la ventana del automóvil sin decir ni una sola palabra. Al llegar a casa fui a mi habitación y lloré. Me sentía atrapado, atado, triste y solo. Quería vivir mi vida como Brandon. Quería ser libre para poder estar con él.

Todo lo que había sucedido en mi vida fue detalladamente orquestado por Satanás. Nada pasó por coincidencia, y era consciente de que había llegado a su punto de culminación. A medida que los días transcurrían la soledad se apoderaba de mí. Comencé a aislarme de todos, incluyendo mi familia. Continuaba hablando con Brandon, y siempre le expresaba que quería estar con él, a lo que me respondía: «Tú sabes que no puedes».

Todo se hacía cada vez más complicado. Nada parecía tener sentido en mi vida. Mis emociones y sentimientos encontrados me confundían tremendamente. Vivía abrumado por la mentira y el temor de no poder decirle nada a mis padres, pues sabía que ese sería el final de nuestra relación.

Hasta que llegó un momento en el que me sentí totalmente desamparado. No tenía absolutamente a nadie con quien hablar, ni aún con mis amigas. Esa presión en mi pecho se hacía cada vez más fuerte e intensa.

Durante toda una semana luché con la idea de hablar con mis padres acerca de mi homosexualidad. Día tras día daba vuelta esa idea en mi cabeza, y me imaginaba todo tipo de escenarios de lo que podría llegar a suceder. Continuaba yendo a la escuela, aunque mis pensamientos no estaban ahí. Pero llegó un punto donde sentí que ya no podía más. Me sentía sofocado, abrumado. La carga sobre mí era muy grande y difícil de soportar. Por primera vez pensé que mi vida no tenía sentido. La depresión se estaba haciendo tangible y los malos pensamientos cruzaban constantemente por mi cabeza. Todo daba a entender que el plan tramado contra mi vida en el mismo infierno estaba dando resultado: con tan solo diecisiete años, ya no tenía ganas de vivir.

CAPÍTULO 3

La lucha por la aceptación

Después de una semana de estar luchando internamente con ese dolor intenso y silencioso. Una tarde, cuando llegué a mi casa, pensé en quitarme la vida. Imaginé una y mil formas de cómo suicidarme. Prefería morir a tener que enfrentar a mis padres con la realidad de lo que me estaba pasando. Finalmente, decidí abandonar la idea.

Sin decirle una sola palabra a nadie, tomé la decisión de hablar con mis padres. Pensé: «Prefiero que lo sepan por mí, y no que venga alguien y se los diga». Solo debía decidir cómo enfrentarlos.

Aunque la decisión ya estaba tomada, de solo pensarlo, los nervios me atacaban, y no podía dormir. En mi interior había una gran lucha, espero puedas compre-nderlo. Esa lucha que había instalado en mí la idea de quitarme la vida, ahora me estaba impulsando a hablar y declarar lo que en lo profundo de mi corazón no quería decir. Sin embargo, esa voz intensa y constante me decía: «Tienes que hacerlo. Habla con ellos hoy».

Una noche, mientras estábamos cenando en familia, habíamos recibido la visita de mi abuelito desde El Salvador. Hacía mucho tiempo que no lo veía. Su trato hacia mí siempre fue muy especial y diferente. Íntimamente pensaba que quizás él sabía algo, porque siempre me decía: «Hijito, yo oro por usted».

Al finalizar la cena todos se levantaron y fueron a la sala a ver televisión. Yo me quedé en la cocina solo, mirando mi plato de comida, aislado en mis pensamientos. No había probado ni un bocado de la cena que mi mamá había cocinado. Mientras ella limpiaba, yo continuaba allí, sentado. Sabía que ese era el momento de hablar. Ya no podía retroceder. Con una voz suave, que todavía recuerdo con mucho amor y dulzura, mi madre me preguntó:

Hijo, ¿estás bien?

Sí, mami —respondí—. Estoy bien.

Tienes algo que decirme, —continuó preguntándome.

No...

Después de unos minutos de silencio, le dije: «Mami, sí, en verdad tengo algo que decirle».

Inmediatamente dejó de limpiar, se dio vuelta y se sentó frente a mí, al otro extremo de la mesa del comedor, con su mirada atenta me dijo: «Dime, te escucho». En ese momento tenía frente a mí a la mujer que me trajo a este mundo, que me había protegido toda mi vida, que me había enseñado tantas cosas y a quien consideraba mi amiga.

Levanté mi rostro, la miré a los ojos y le dije:

—Mamá, ¿recuerda la pregunta que me hizo hace un tiempo?

Rápidamente, antes de que yo continuara, ella respondió: «¿Si eras homosexual?». En ese instante, al escuchar esas palabras salir de la boca de mi madre golpearon muy fuerte contra mi pecho. Eran palabras llenas de tanto desprecio que podía sentir sus emociones.

—Sí, esa vez, —respondí.

—¿Qué hay con esa pregunta hijo?

—La respuesta es «sí».

Luego de mi confesión, agaché mi cabeza y ya no pude mirarla más. Tenía tanto miedo que temblaba. Sabía que mi mamá era muy impulsiva y pensé que me iba a golpear. Pero, lo que dijo fue:

—Hijo, no tienes idea de lo que estás diciendo, —hablando con voz temblorosa pues no podía contener el llanto.

Me sentía tan mal que quería levantarme e ir a abrazarla y sentir sus brazos rodeándome, pero no sucedió.

Mi madre solo decía: «Ericsson, ¿cómo es posible? ¿cómo puedes decir esto? Soy tu madre. Seguramente estás confundido».

Continuó llorando sin poder contenerse. El miedo volvió a rodearme pensando que me iba a castigar, pero interiormente me repetía: «Cualquier cosa que ocurra, no puedo volver atrás. ¡Ya lo había dicho!».

Entonces mi papá salió de la habitación, entró a la cocina y se paró a mi lado. Cuando vio a mi mamá llorando, le preguntó qué estaba ocurriendo. Ella, entre lágrimas y con un llanto muy profundo, contestó:

—Pregúntale a Ericsson.

—¿Qué paso hijo?, —me dijo mi papá.

Pero no pude contestar, me quedé mudo. Finalmente, mi mamá respondió:

—Ericsson dice que es homosexual.

Entonces creí que sería mi papá quien me golpearía, pero no, no dijo nada. Se paró al lado de mi mamá, frente a mí, y dijo:

—Ericsson, mírame, —entonces levanté mi rostro y lo miré—. ¿Qué te pasa? ¿Cómo vas a decir que eres homosexual? ¿Cómo es posible que declares que te gustan los hombres? ¡Tú no eres ese tipo de muchacho! Yo tengo hijos varones que son hombres. ¡Eso es una vergüenza! ¿No piensas en el ejemplo que le darás a tus hermanos? ¿Qué va a decir la gente? Van a hablar mal de la familia. Seguramente estás confundido.

Mientras decía todo eso, yo me mantenía en silencio. Solo escuchaba. Momentos después, los dos me reprochaban al mismo tiempo: «¡No es posible que nos hagas esto! ¡Tú no nos amas! ¡Eres un mal agradecido! ¿Así nos pagas todo lo que hemos hecho por ti?».

En ese instante solo pude decirles: «La única razón por la que se los digo es porque los amo, y porque quiero vivir así mi vida. No aguanto continuar con una mentira, y quiero que ustedes lo sepan. No les estoy pidiendo que me acepten, solo que respeten mi decisión. Se los digo porque no quiero que se enteren por otra persona, sino por mí. Los amo. Y esto es honestamente lo que siento».

Al decir esas palabras, mi papá me interrumpió y dijo: «¡No digas que nos amas! Porque eso no es amor. Te he dado todo. Te envíe a los colegios más caros. Te hemos comprado todo lo que has necesitado. Nos hemos sacrificado por ti, y ahora nos dices que te gustan los hombres. ¡Es una desgracia! ¡Eres una vergüenza!». Conforme las palabras salían de su boca podía sentir el enojo, el coraje y el resentimiento de ambos. Su peor pesadilla se había hecho realidad.

Continuaron ofendiéndome y yo solo me quedé callado. Mi papá repetía todo lo que había hecho por mí. Mi mamá me decía que los homosexuales no entrarían en el Reino de los cielos y que irían al infierno.

EL PRINCIPIO DE MALES

Una hora después... no pude soportar más sus palabras, levanté mi voz y dije: «Este soy yo, les guste o no. ¡Así soy y no lo puedo cambiar!». Me levanté de la mesa y me fui a mi habitación. A partir de allí comenzaron los peores días de mi vida o, mejor dicho, el principio de muchos males que estaban por venir.

En este sueño despierto, de esta triste alegría
Lo oculto lo observo, pero no lo puedo mirar
¿Es el principio o el fin?
¿Es el nacer o el morir?
No lo sé, pero lo que sí sé, es que es...
El principio del fin.

No podía creer que las personas que se suponía debían amarme incondicionalmente, me hicieran sentir como lo peor que pudiera existir. Les importaba más «lo que diría la gente» que lo que yo sentía al escuchar sus palabras.

Aunque en el fondo de mi corazón sabía que ellos me amaban, en ese momento, a ninguno de los dos les importó cómo me sentía. Otra vez estaba solo y abandonado. Al siguiente día me fui temprano a la escuela muy triste y solo. Sentía que lo había perdido todo. Había un gran vacío dentro de mí. Ya nadie me amaba.

Por la tarde, cuando fui a trabajar, les conté a mis amigas lo que me había pasado. Ellas con palabras amorosas y de contención me dijeron: «No te preocupes. Todo va a estar bien». Me dieron un abrazo y eso me hizo sentir mejor. Hubiera deseado que ese abrazo viniera de mis padres, pero no sucedió. No quería que aplaudieran mi decisión, solo quería saber que me amaban y que juntos podríamos enfrentar lo que me estaba sucediendo.

Como familiar de un homosexual debes saber que hay momentos en la vida en los que debes ponerte la armadura de Dios para enfrentar lo que viene por delante, con firmeza y fe, ejerciendo el poder del Espíritu Santo en ti, porque sin pedirlo te han lanzado al frente de una guerra. Deja a un lado los rituales religiosos y legalistas, porque cuando alguien a quien realmente amas está rodeado por el poder de este mundo, solo Dios te podrá dar la estrategia y la sabiduría para vencerlo y ayudarlo a salir.

«Pues no luchamos contra enemigos de carne y hueso, sino contra gobernadores malignos y autoridades del mundo invisible, contra fuerzas poderosas de este mundo tenebroso y contra espíritus malignos de los lugares celestiales» (Efesios 6:12 NTV).

Pasaron los días y la tensión en la casa crecía. Mis padres casi no me hablaban y aún mis hermanos se alejaron de mí. Eso me dolió mucho. Realmente me sentía morir. Voces fuertes hablaban a mis oídos gritándome: «Toma una decisión que los haga sentir mal por lo que te hicieron. ¿Para qué vivir así?».

Cuanto más pensaba, menos sentido le hallaba a mi vida. Me habían quitado el teléfono y la computadora. Todo esto me producía un mayor aislamiento y una gran depresión. Esa no era vida. Por lo menos no era la vida que anhelaba vivir.

Una tarde, después de la escuela, al regresar a mi casa, mientras estaba solo, nuevamente comencé a contemplar la idea que antes de hablar con mis padres rodeaba mi cabeza: quitarme la vida. Al fin y al cabo, había decepcionado a mis padres y no me aceptaban. ¡Qué mejor forma de quitarles la vergüenza de tener un hijo homosexual!

En el refrigerador de la cocina había unos medicamentos para el dolor. Disimuladamente tomé el primer frasco que encontré, regresé a la habitación e intenté morir de una sobredosis. Ingerí tantas pastillas como pude. Escondí el frasco y me acosté mirando al techo. Después de unos minutos me quedé dormido.

«Mi corazón está dolorido dentro de mí, terrores de muerte sobre mí han caído» —Salmo 55:5

Aunque mi intención era morir, desperté a la medianoche, como si nada hubiera sucedido. Me sentía aturdido. Algo milagroso había pasado. Las pastillas no habían tenido efecto en mi cuerpo. Me levanté, busqué algo para beber y regresé a mi cuarto a dormir. Nadie supo hasta muchos años después, de este intento fallido de quitarme la vida con tan solo diecisiete años.

ATACAR PARA LASTIMAR

Cada día me levantaba con la esperanza de que mis padres hubieran reflexionado y buscado la posibilidad de acercarse a mí, y ya no dejarme aislado. Pero las cosas continuaban sin mejorar. Cada conversación siempre terminaba en discusiones ofensivas. Me hablaban desde un lugar de mucho rencor y a la vez se sentían incapaces de hacer nada al respecto. Dentro de su corazón sé que ellos deseaban que todo cambiara de la noche a la mañana, pero no era posible.

Hoy, con el pasar de los años y la experiencia vivida, entiendo que ningún padre está preparado para enfrentar una situación como la que mi familia estaba viviendo. Cuando un padre tiene a su bebé entre sus brazos nunca le dice: «Hijo, un día serás homosexual o drogadicto». Pero, la realidad es que con el pasar de los años, muchos padres se enfrentan a estas situaciones sin saber qué hacer ni cómo resolverlo.

Una noche, ellos y yo tuvimos una discusión muy fuerte, mi abuelo estaba presente y aún recuerdo sus palabras diciéndole a mi papá: «No trates así a tu hijo. En lugar de maltratarlo, ora por él y busca de Dios». Me acerqué a mi abuelito, me senté junto a él y lloré mucho. Fue el único que, con su sabiduría, en ese momento, se detuvo y pensó cómo me sentía.

«Enséñanos a contar bien nuestros días, para que nuestra mente alcance sabiduría» (Salmo 90:12 DHH).

Solemos encerrarnos para pensar cómo nos sentimos, que nos sumergimos en nuestras propias emociones y nos olvidamos de que las otras personas también tienen sentimientos. Entonces, cuando no entendemos algo, usamos nuestra mejor arma: Atacar para lastimar.

Dos o tres semanas después de haber hablado con mis padres, mis primos se enteraron de lo que me estaba ocurriendo y una noche me llamaron para invitarme a salir. Acepté el ofrecimiento y durante el encuentro me dijeron: «Ericsson, seguramente estás confundido. Lo que necesitas es tener relaciones sexuales con una mujer para que te des cuenta de que no “eres así”. Mañana te llevaremos a un lugar donde una mujer te hará hombre».

La noche siguiente pasaron a buscarme. Estaba muy nervioso. No sabía qué iba a suceder. Cuando llegamos al lugar, me di cuenta de que era una casa donde se practicaba la prostitución. Quise negarme a entrar, pero pensé que no perdía nada con intentarlo.

El aspecto de la casa era común y corriente. Ingresamos directamente al sector de la cocina a esperar «mi turno», por decirlo de alguna manera. Me llevaron hacia una habitación oscura donde solo veía la silueta de una mujer desnuda que se acercó y me preguntó: «¿Cómo te llamas?». «Eric», le respondí mientras mi cuerpo temblaba. Tenía mucho miedo. Estaba a punto de perder mi virginidad. El solo hecho de pensar que mi primera experiencia sexual sería con una mujer y, además, prostituta, me estremecía. Solo ella sabía con cuántos hombres había estado ese día y los anteriores.

Mirándome, me preguntó:

—¿Es tu primera vez?

Asentí moviendo la cabeza. A lo que respondió:

—Ven, soy Camila. No tengas miedo. Vas a estar bien.

Cuando salí de ese lugar, mis primos me hacían todo tipo de preguntas: «¿Cómo te sientes? ¿Todavía te gustan los hombres? ¿Qué sensaciones tienes? ¿Te gustó?». Y para no verme como un tonto, respondía «sí» a todo.

Cuando llegué a mi casa, inmediatamente fui a darme un baño. Honestamente me sentía diferente, pero no para bien. Sin saberlo había ocurrido una transferencia de espíritus de una manera ilícita. El contacto sexual con una prostituta, produjo que todo aquello que espiritualmente la ataba, desde ese momento también estuviera en mí. En la unión sexual se transfirió todo lo que ella poseía espiritualmente. La intimidad sexual pecaminosa crea un vínculo espiritual que ata.

Esta experiencia vivida me llevó a frecuentar más seguido a mi amiga lesbiana, y no sé cómo, pero comenzamos a relacionarnos físicamente. Yo, con tan solo diecisiete años, y ella con 35. Nadie sabía de esta relación.

Durante ese tiempo, muchas cosas fueron cambiando en mí. Después de aquella visita a «Camila, la prostituta». Mi corazón se fue endureciendo al grado que ya no me importaba lo que mis padres pensaran acerca de mi estilo de vida. Algo había ocurrido en mi interior que empeoró y potenció mis hábitos de vida. Lo que espiritualmente había recibido en aquel prostíbulo, en lugar de ayudar, me había llenado de mayor confusión, rebeldía y adicción.

«No tengan relaciones sexuales prohibidas. Ese pecado le hace más daño al cuerpo que cualquier otro pecado» (1 Corintios 6:18 TLA).

CAPÍTULO 4

Cuesta abajo en el barranco

Conforme el tiempo pasaba nacían nuevas amistades y con ellas nuevas experiencias. Cuando tenía unos veinticinco años conocí a Jesse, un joven seis años mayor que yo. Jesse se transformó en mi mejor amigo. Éramos inseparables, tanto que me mudé a la ciudad donde él vivía y rentamos un apartamento juntos. Éramos como hermanos.

Jesse tenía mucha más experiencia que yo en muchas áreas y se volvió como el hermano mayor que nunca tuve. Me enseñó muchas cosas. Pasábamos horas conversando. Además de vivir juntos, trabajábamos en el mismo lugar. Llegamos a conocernos muy bien y teníamos una conexión muy fuerte.

Su vida había estado llena de muchos eventos desafortunados. Desde pequeño había perdido a sus padres biológicos, y junto a sus dos hermanos menores fueron enviados por el servicio de protección al niño, a diferentes hogares temporales y también a orfanatos.

Jesse fue abusado sexual y físicamente en varias de las casas donde había sido enviado temporalmente. Algunos de los jóvenes con quienes vivía a veces lo golpeaban, y por temor a que lo separaran de sus hermanos, «nunca decía nada».

A causa de esas vivencias tan dolorosas Jesse estaba enojado con Dios. No le gustaba ir a la iglesia, tenía mucho rencor y falta de perdón en su corazón. Llegue a amarlo como a un hermano. Con él me sentía libre ya que nunca me juzgaba.

Nos emborrachamos juntos y formábamos grandes escándalos en las discotecas. En varias oportunidades la policía estuvo a punto de arrestarnos, pero no nos importaba, porque en verdad lo que siempre estábamos buscando era la forma de llamar la atención y ser aceptados.

Habíamos cruzado tantas líneas que ya nada parecía difícil. Junto con algunos amigos más, los fines de semana nos vestíamos de mujer, no porque queríamos serlo, sino porque nos gustaba llamar la atención, en especial la que recibíamos de aquellos hombres que sabían que no éramos mujeres, pero aun así se acercaban buscando tener algo con nosotros. Todo formaba parte de la diversión.

¿ESTARÁ EN LAS DROGAS LO QUE BUSCO?

Una de estas tantas noches que estábamos por salir para ir a la discoteca llegó uno de nuestros amigos y dijo: «Tengo algo que les va a gustar». Puso la mano en su bolsillo y sacó una pequeña bolsita rellena con un polvo blanco. Luego dijo: «Hoy vamos a jugar con nieve», haciendo referencia a la cocaína.

Nunca había usado ningún tipo de drogas, pero como estaba con mis amigos, Jesse se acercó y me dijo: «No tengas miedo, aquí estoy. No voy a dejar que nada te pase. Te diré lo que vas a sentir. No te preocupes». Confiaba plenamente en él, así que esa noche probé cocaína por primera vez.

Una vez que me enseñaron cómo debía hacerlo, llegó mi turno, entonces pensé: «¿Y si hago esto y me vuelvo adicto?». Había escuchado muchas historias sobre las adicciones, y esto generaba dudas en mi interior. Pero, al mismo tiempo, quería ser parte del grupo, y decidí no pensar en las consecuencias. Quizás podría encontrar en las drogas aquello que tanto estaba buscando.

Me acerqué a la mesa e inhalé todo el polvo que me habían preparado. Sentía cómo subía por mi cara y me ardía la nariz, pero luego todo se me entumeció. Comencé a sentirme eufórico y me serví un trago de cerveza, pero no le sentía el sabor. Me sentía diferente. Algo estaba pasando en mi cuerpo y en mi mente que no podía controlar.

Mi deseo de pertenencia era más fuerte que el dolor o el temor a las consecuencias.

El tiempo seguía pasando y mi vida parecía ir en ciclos. Todos los días esperaba que llegara el fin de semana para poder ir al club, conocer nuevos amigos y después llevarlos a nuestro apartamento. Para mí, eso era vivir.

Mi amigo Jesse era adicto a los analgésicos. Todas las noches tomaba pastillas y luego bebía. Después de un tiempo comencé a hacer lo mismo. Continuaba en la búsqueda de aquello que saciara mi vacío interior, pero no lo hallaba. Nada me satisfacía. Siempre quería algo más. No importaba cuántos hombres conociera o cuántas relaciones tuviera, el mismo vacío permanecía siempre dentro de mí.

Durante esa temporada de mi vida junto a mi amigo Jesse, se abrió la puerta a un mundo desconocido para mí: el de las drogas. Hasta ese momento solo usaba drogas recreativas, pero luego incluí la cocaína, los analgésicos y las drogas sintéticas que usábamos antes de salir a la discoteca. Mis padres no tenían idea de lo que yo estaba haciendo. Se habían enterado de que me emborrachaba, pero no sabían que usaba drogas.

Solo la presencia de Dios quita la soledad y el vacío interior.

CADA VEZ MÁS CERCA DEL ABISMO

Vivir como homosexual no me trajo la satisfacción y libertad que pensé me traería. Desde pequeño sentía que había sido despreciado, y aun viviendo como quería, seguía experimentando el mismo sentimiento por parte de algunos hombres. Ellos se enfocaban en la imagen, y al parecer yo no entraba en el estándar deseado o en la imagen del clásico homosexual.

Lo raro era que a Jesse le pasaba lo mismo, y aún peor, porque cuando era adolescente había contraído SIDA, y muchas veces tenía encuentros sexuales sin avisarle a su pareja de turno acerca de su enfermedad. He conocido a muchos hombres que no les importaba su vida y mucho menos la de los demás.

Aunque Jesse y yo éramos como hermanos, dentro de mí sabía que nuestra relación era tóxica. Teníamos muchas discusiones a causa de su egoísmo. Todo debía ser hecho a su manera. Cuando algo no le gustaba, armaba un escándalo sin importar dónde estuviera.

A mí me pasaba lo contrario. Cada vez que tomaba mis emociones se quebraban y comenzaba a llorar a solas sin ninguna razón. Por momentos amaba mi vida y todo lo que había alrededor. Otras veces me sentía extremadamente solo, confundido e íntimamente me cuestionaba: «¿Es esto todo?».

Mientras estaba a solas deseaba un abrazo de mi madre o escuchar la voz de mi padre. Quería que me dijeran que estaban orgullosos de mí y que me amaban, pero en mi corazón estaba el recurrente recuerdo del rechazo y por lo tanto sabía que ellos nunca aceptarían mi estilo de vida.

En medio de esa soledad quería salir corriendo y encontrar a alguien que me dijera: «Yo te amo». Muchas veces, mirando al cielo pregunté: «Dios ¿me amas?». Luego, yo mismo me respondía: «Déjate de esas cosas y ¡aguántate!». Entonces ahogaba esos sentimientos con alcohol y drogas. Hubiera deseado saber que:

«¡Yahveh! ¡El Señor! ¡El Dios de compasión y misericordia! Es lento para enojarse y está lleno de amor inagotable y fidelidad» (Éxodo 34:6).

UN RETROCESO HACIA EL BARRANCO

Luego de una discusión muy fuerte con Jesse, decidí regresar a la ciudad donde vivían mis padres. Hablé con ellos y les pregunté si me permitían vivir nuevamente con ellos. Por supuesto que aceptaron. Era probablemente una respuesta a sus oraciones diarias por mi vida.

Los años habían pasado y ya mis padres no me decían nada. Ahora era un hombre de veinticinco años que ya no podían controlar. No me preguntaban nada acerca de mi vida, ni para bien, ni para mal. Con honestidad confieso que eso me asustaba un poco. Su silencio para mí también significaba que no les importaba, y eso representaba que ya no me amaban.

Mientras estaba con ellos, mi comportamiento no mejoró. Seguí viviendo desordenadamente. Cada vez que salía llegaba borracho. Llevaba hombres a la casa de mis padres, sin que ellos supieran. No respetaba absolutamente nada. Había perdido el respeto por todo, hasta por mí mismo. Para ese entonces me había quedado sin trabajo. No tenía dinero y de una forma u otra, lo conseguía. A veces lograba que alguien me invitara. No hacía nada productivo, solamente vivía una vida desenfrenada.

Una tarde quería salir, y como no tenía vehículo le pregunté a mi mamá si podía prestarme el suyo. Sin pensarlo dos veces me respondió: «Absolutamente no». Me enojé tanto que le grité un insulto. En su mano tenía la secadora de cabello y quiso pegarme con el cable, pero lo agarré por el aire, tomé la secadora en mis manos y comencé a golpearla contra la pared hasta que la rompí. Mi mamá, furiosa, me dio una bofetada. Cuando estaba a punto de darme otra, me hice hacia atrás y me arañó la cara.

Ya no era ese jovencito que mi madre había conocido. Me había transformado en otra persona, casi en un desconocido. Mi mamá comenzó a llorar, y yo solo me quedé mirándola. No me importó ninguna de sus lágrimas. Lo único que le dije fue: «Usted quiere arreglar todo con llantos». Entonces me respondió: «Hijo, eres un ingrato». No me importó nada de lo que dijo y de mi boca salieron palabras llenas de dolor e ira.

El dolor había invadido todo mi cuerpo, era una fuerza irresistible y mis palabras eran como el lodo que ensucia todo lo que toca. Al escuchar de mi boca todo lo que le estaba diciendo, la presión arterial de mi mamá subió hasta el punto de desmayarse. Inmutable me quede mirándola, sin sentir nada, ni siquiera compasión. Mi papá y mi abuela llamaron a la ambulancia y la llevaron al hospital. Yo me fui con uno de mis amigos y regresé tres días después.

Esa tarde, el pequeño progreso que habíamos tenido como familia, se derrumbó totalmente. Aunque vivía con ellos, no les dirigía la palabra. Era como si ya no existieran para mí. Mi corazón estaba lleno de resentimiento, ira y amargura. Habíamos perdido la conexión entre nosotros.

Aquel niño callado y amable que había sido, parecía no existir más. En cierta forma deseaba que mis padres sintieran el mismo dolor que yo cargaba al percibir su rechazo. Mi gran y constante búsqueda siempre fue que ellos dijeran palabras como: «Hijo, tú sabes que, a pesar de todo, te amamos. Juntos resolveremos esta situación». Pero esas palabras nunca llegaron.

Cada día me hundía en mi propio mundo confundido, y aunque quería arreglar mi vida, no sabía por dónde comenzar o con quién hablar. Pasé semanas sin pronunciar palabra en mi propia casa, ya no me sentía parte de ella. Era como un extraño que evitaba pasar tiempo allí, y como resultado decidía salir con mis amigos. Bebía para ahogar mi pesar y tristeza, pero, aun así, juraba que estaba bien, que nada en mí estaba equivocado. Todo indicaba que cada paso que daba me acercaba más al barranco del mismo infierno. La cornisa era el camino que transitaba cada día. Y mi voz guía era quien pretendía destruir mi vida. En algún lugar de mi interior había algo que me indicaba que el infierno no era mi destino final.

El espíritu de orgullo te ciega y no te permite ver la realidad de tu condición para concentrar la atención en ti mismo.

«Su corazón es duro como la roca, duro como piedra de molino» (Job 41:24).

CAPÍTULO 5

Lo inesperado ocurrió

Al sentirte sin dirección y yendo a la deriva, crees que te has perdido en el océano de tu vida, pero no es así; lo que has perdido es la gota del amor de tu Creador.

Cada vez que decidía ir lejos de mi casa, recordaba los momentos alegres que había vivido allí. Regresaban a mi memoria el aroma delicioso de las comidas de mi madre. Cada día, antes de irse a trabajar, ella entraba a mi habitación, ponía su mano en mi mejilla y la escuchaba decir: «Padre, cambia a mi hijo, ayúdalo y guárdalo de todo mal».

No miento cuando digo que realmente me hacía falta sentir sus manos acariciándome y sus brazos rodeándome. A pesar de todas las discusiones y malos momentos vividos, mi casa era el único lugar donde me sentía seguro. No sé por qué razón, pero siempre sentía que estaba corriendo y huyendo de algo, quizás de mí mismo y/o de mi vida, de todo el caos que yo mismo había creado. Tenía un gran vacío en mi corazón, que a pesar de todo lo que yo hiciera, siempre terminaba extrañando mi casa. Sin embargo, mi orgullo y mi egoísmo habían endurecido mi corazón. No me permitían admitir mis errores, y mucho menos pedir perdón. Para mí, todos tenían la culpa de lo que me estaba sucediendo, menos yo.

Se había afirmado en mí la idea de que la única razón por la que vivía como homosexual era porque Dios me había creado así. No aceptaba ninguna otra explicación. Ese era mi pensamiento y todos tenían que aceptarlo, nada ni nadie podía cambiarlo. De esa forma, lo único que intentaba era hacerme sentir bien a mí mismo. Deseaba convencerme de que todo estaba bien y que no había nada malo en mí. Al contrario, los que estaban mal siempre eran los demás.

La única forma de sentirme bien era contradiciéndolos e imponiendo mi pensamiento y de esta amanera validar mi punto de vista para forzarlos a aceptarme. Siempre me dije: «Ericsson, no hay nada que reparar en ti, todo está bien, nada te hace falta», aunque realmente sentía ese gran vacío en mi interior.

En una ocasión mi madre me miró firmemente a los ojos y declaró: «Hijo, Dios te va a cambiar». Con una actitud desafiante le respondí: «Lo hará si yo quiero, pero como no quiero, nada va a pasar». Salí de mi casa y en voz alta dije: «Nadie me puede cambiar. Soy así y quiero ser de esta manera». Pero al escucharme decirlo, esas palabras me dieron temor.

La realidad era que, a pesar de todo yo deseaba ser amado, tener una familia e hijos. No me atraían las mujeres, no podía imaginar tener relaciones íntimas con una de ellas. Era imposible en mi mente concebir esa idea. Tampoco creía en el matrimonio homosexual y mucho menos tener hijos con otro hombre como pareja.

En medio de todas mis emociones y pensamientos, me sentía muy confundido. Deseaba comenzar mi vida de nuevo, borrar mi pasado, mis errores y vivir libre. Ya que despertaba cada mañana sin sentido ni propósito. Me sentía solo, aun viviendo rodeado de muchas personas. Mi expresión exterior era de risa, pero por dentro sufría. Todo era una farsa. Todas las aventuras que escuchaba de mis amigas y amigos homosexuales eran una mentira. Ellos no contaban la realidad de lo que verdaderamente vivían: traiciones, desprecios, infidelidades. Pensé que «salir del clóset» y mostrarme tal y como era, me traería satisfacción, pero no fue así. ¡Todo era una mentira!

El cambio me parecía imposible. Mi vida estaba demasiado destruida. No había nada que pudiera repararla. Lo había perdido todo: auto, trabajo, familia... No tenía absolutamente nada. Desaproveché grandes oportunidades, pero aun así seguía viviendo mi vida y aparentando que estaba bien, que era una aventura llena de diversión. Era un espíritu libre viviendo la vida a mi manera.

UNA ÚLTIMA OPORTUNIDAD

Un fin de semana, mi amigo Ray y su novio me invitaron a su casa. Lo había conocido en la escuela secundaria, cuando teníamos diecisiete años. Al encontrarnos pasamos un buen tiempo juntos y entre charlas bebimos tanto alcohol que nos quedamos dormidos. Alrededor de las tres de la madrugada me desperté para ir al baño. En un instante, detenido frente al tocador, vi mi reflejo en el espejo y me pregunté: «*¿Qué has hecho con tu vida? ¿Hasta dónde has llegado? ¿Dime qué fue lo que pasó? No tienes nada. No vales nada. Ni tu propia familia te ama. Te han dejado solo. Nadie te acepta. No tienes dinero y vives sin esperanza. No hay nada que puedas hacer para salir de aquí. Tu vida es un desastre. Lo mejor sería que* *olvides todo y le hagas un favor a tus padres: quítate la vida. Al comienzo llorarán, pero luego estarán bien»*.

Estas fueron las últimas palabras que me dije mientras veía mi propio reflejo. El espejo siempre manifestará cómo nos miramos, pero no la realidad de quiénes somos. Al girar mi cabeza hacia un lado vi unas navajas, las tomé e intenté cortarme las venas. Cuando seccioné la piel, sentí que la sangre comenzó a brotar... Lo hice una y otra vez. Estaba decidido a terminar con mi vida.

Mientras lloraba volvía a cuestionarme: «¿Por qué? ¿Por qué no me aman? ¿Por qué no pude ser el hijo que mis padres deseaban, el hombre que anhelaba ser? ¿Por qué tuve que caer en todo esto? ¿Por qué Dios? Perdóname...».

En ese momento, mi amigo Ray entró al baño y gritó: «¡¿Qué estás haciendo?!». Salí corriendo de su casa con las manos llenas de sangre. Quería morirme. No deseaba que nadie me detuviera. Ray corrió tras de mí, pero las calles estaban oscuras. De la nada apareció un auto de policía, y el oficial intentó detenerme con un grito, pero en un primer intento no le hice caso.

Finalmente, me detuve cansado y llorando. El policía me tomó y dijo: «Tengo que llevarte». A lo que respondí: «No quiero ir a ningún lado. Quiero morirme». Esa noche terminé en un hospital psiquiátrico internado por varios días, totalmente solo. Mi mejor amigo Ray no quería verme. Mis padres no sabían dónde estaba, ni todo lo que había ocurrido. Los médicos me dijeron que no podría irme hasta que alguien fuera a buscarme. Le rogué a Ray que me fuera a firmar mi salida de la internación, que ya no soportaba estar ahí. Ante mi insistencia accedió y me sacó del hospital. Me llevó a mi casa y cuando entré, mi mamá estaba ahí. No le dije nada, solo me fui al sótano, que era la sala de lavado, a esperar que ella se fuera.

Unos días después de este intento de suicidio, recibí la llamada de una de mis primas para invitarme a un encuentro espiritual de tres días que organizaba su iglesia. Después de todo lo que había pasado, lo último que quería era estar rodeado de un «montón de evangélicos». Puse todo tipo de excusas y mentiras para no ir, pero finalmente terminé aceptando.

Realmente no quería participar de ese encuentro con Dios. No deseaba conocerlo ni tampoco anhelaba un toque espiritual. Acepté la invitación por una simple razón: Me sentía en deuda con mi prima, porque desde el día que «salí del clóset», a pesar de todo lo que yo hacía, ella nunca me despreció y siempre me demostró amor. Cada vez que nos encontrábamos ella me daba un abrazo, me preguntaba cómo estaba y me invitaba a su casa a comer con su familia.

Nadie sabía que eso era lo que yo más anhelaba: sentarme a la mesa y saber que no me estaban juzgando ni que harían un comentario sobre mi sexualidad. Por esa razón decidí aceptar su invitación. Sin darme detalles de cómo sería aquel retiro espiritual, ella me dijo: «El viernes paso por ti».

Cuando pude hablar con mi mamá le dije que iría a un retiro espiritual de la iglesia. Ella sin ningún gesto de asombro, solo me respondió: «¡Qué bueno, hijo!».

Tú haces planes, pero Dios ordena tus pasos...

El abrazo de una persona que quieres puede cambiar un momento de tu vida, pero el abrazo del Dios que te ama puede transformar tu corazón.

EL DÍA QUE TODO CAMBIÓ

El viernes llegó y mi prima fue a casa a buscarme. Me vestí de una manera especial para que fuera evidente que no era cristiano. En mi mente dije: «Cuando esté allá buscaré a algún chico con quien acostarme para no aburrirme. Por supuesto nunca me haré cristiano».

El viaje hasta el lugar del retiro fue de casi cuatro horas. No imaginé que era tan lejos. Estaba en el medio del bosque y mi teléfono casi no tenía señal. Había pensado que podía aprovechar el tiempo para conocer a alguien por internet, pero no pude.

Al llegar, observé que había muchas personas de diferentes lugares que deseaban tener un tiempo con Dios. Aunque todos eran muy amables, lo último que quería era que me hablaran. Me sentía incómodo por estar ahí. Los cristianos siempre me habían parecido religiosos e hipócritas, y me sentía fuera de lugar. Realmente quería escaparme de allí.

Los líderes del equipo de organizadores solicitaron a todos los participantes que dejaran su teléfono guardado durante los tres días. De esa manera podíamos estar libres de toda distracción. Eso significaba que debía desconectarme de mi mundo durante todo ese tiempo. Me negué a hacerlo y dije mentiras para poder evitar dejarlo y quedarme con él.

Alrededor de las seis de la tarde un hombre pasó al frente y compartió su historia acerca de cómo había sido abusado sexualmente por otro hombre y expresaba todos sus sufrimientos por esa experiencia vivida. Sin embargo, en lo único que podía pensar era que su voz me resultaba irritante, que debían apagar el micrófono. Así comenzaron mis quejas.

Superé las primeras horas sin que nada relevante sucediera. A las nueve de la noche tomó el micrófono la última persona que compartiría la Palabra. Cuando lo vi caminar hacia el frente, sentí algo especial dentro de mí. Me llamó mucho la atención. Había algo en él que el resto no tenía. Era amable y se veía muy tranquilo. Cuando comenzó a hablar me di cuenta de que era uno de los pastores de la iglesia. No recuerdo nada de lo que dijo, pero sí cómo terminó sus últimas palabras al decir: «Ahora quiero que todos cierren sus ojos e inclinen su cabeza».

En ese momento comencé a sentirme muy incómodo. Quería salir corriendo. Surgieron muchos pensamientos en mi cabeza. Dentro de mí sabía que el pastor estaba a punto de hacer un llamado a recibir a Jesús en el corazón. Pero yo no quería, no podía cambiar mi estilo de vida. Era imposible dejar todo lo que me gustaba. Pensaba en todos los hombres que me atraían, las fiestas, los amigos, los clubs nocturnos. Mientras estaba sentado coloqué mis manos debajo de mis piernas y me tomé muy fuerte de la silla. No levantaría mi mano en señal de aceptación.

La presencia de Dios es el único lugar donde mueren nuestras debilidades.

«¿Qué me está pasando? ¿Por qué siento algo distinto dentro de mí?», me preguntaba. En mi interior percibía que estaba a punto de pasar algo. Me sentía confundido. Tenía sentimientos encontrados. No quería permanecer en ese lugar. Sentía ganas de llorar, pero no podía hacerlo. No quería que nadie me tocara. No quería que nadie se me acerque... Todo esto pasaba por mi mente y mi corazón en segundos.

Apoyé mi cabeza en la orilla de la mesa y cerré los ojos. El pastor continuó hablando, pero dentro de mí no escuchaba nada. Sentía mucho temor, pero no quería abrir mi boca, solo pensé dentro de mí: «Tengo mucho miedo». Unos segundos después, como si nada sucediera, el pastor dijo: «El Espíritu Santo te está diciendo: "No tengas miedo"».

En ese momento algo se rompió dentro de mí. No pude contener el llanto y por primera vez en mucho tiempo. Lo que pensé que significaba «salir del clóset», en verdad lo estaba experimentando en el lugar que menos lo imaginaba.

Percibí que un gran peso se quitó de mis hombros. Todo mi cuerpo, todo mi ser, se volvió más liviano. Luego escuché las siguientes palabras: «Si hay alguien que quiere entregarle su vida a Jesús, ¡levante la mano!». No niego que muchos pensamientos pasaron por mi cabeza nuevamente: «¿Cómo voy a hacer? ¿Qué va a suceder si al regresar todavía me gustan los hombres? ¿Qué van a decir mis amigos? Ya no voy a poder salir con ellos, y los cristianos son aburridos...», y tantas otras cosas más. Pero a pesar de todo, con mucha dificultad e incertidumbre, levanté mi mano y recibí a Jesús en mi corazón.

Cuando Su poder te toca, no hay otro poder que te retenga.

CAPÍTULO 6

Tormentas espirituales

Durante todos esos años de mi vida hice todo tipo de cosas. Practiqué todo lo malo, siempre buscando ser feliz. Sin embargo, nunca había experimentado lo que viví durante esos tres días en aquel encuentro con Dios. Una inmensa paz descendió sobre mi vida. Una sensación inexplicable de gozo me abrazó. Entonces supe la diferencia entre el gozo y la alegría. Entendí que la alegría es temporal y surge cuando disfrutas de hacer algo que te gusta. Sin embargo, el gozo es una experiencia eterna que solo Dios puede dar. Es el fundamento real y tangible de pasar por el dolor, y aun sin lograr entenderlo, sientes gozo en tu corazón.

El último día del retiro, el pastor comenzó a hablar acerca de la persona del Espíritu Santo, y cómo Él nos ayuda, nos guía y activa nuestros dones. Hablaba de cosas que nunca antes había escuchado.

Al final de la plática, todas las personas que estaban ahí para colaborar se formaron en línea armando un túnel y comenzaron a orar por los que iniciaban el camino por debajo de sus brazos entrecruzados. Algunos de ellos se caían al piso tocados por el poder del Espíritu Santo. Al ver todo eso, continuaba preguntándome qué estaba pasando en ese lugar, asumo que al mismo tiempo, el miedo y la inseguridad me invadieron.

Un rato después, uno de los pastores se acercó diciéndome: «Ven, entra al túnel de oración y pídele al Espíritu Santo que te toque». Cuando comencé a caminar, y paso a paso ingresaba al túnel, cerré mis ojos y sentí cómo las personas oraban por mí. De repente, una descarga eléctrica me atravesó todo el cuerpo. No pude permanecer de pie. Cuando caí al piso llorando me olvidé de todos los que estaban a mi alrededor, ni siquiera me importaba que me vieran llorar.

Después de la experiencia de ese fin de semana, propuse en mi corazón volver a experimentar eso nuevamente. No permitiría que aquello sea solamente una vivencia de fin de semana. Estaba determinado a cambiar mi vida por completo, a cualquier costo.

Nunca olvidaré el camino de regreso a casa. Quería llegar, ver a mis padres y que ellos supieran que mi vida ya no sería igual, que había sido transformado en ese primer y verdadero encuentro con Jesús. Estaba feliz por lo vivido, pero gozoso por el cambio que estaba por comenzar.

Después de ese fin de semana sentí un enorme deseo de conocer más acerca de la persona del Espíritu Santo, pero no sabía por dónde empezar. De algo estaba seguro: Quería estar más cerca del Espíritu Santo.

En ese deseo de querer saber más, recordé momentos de mi niñez, cuando me llevaban a la iglesia y escuchaba decir: «Si quieres conocer más de Dios, tienes que orar y ayunar». Pero yo no sabía cómo hacer ninguna de las dos cosas.

Sin tener quién me guiara, decidí ayunar unas horas al día, encerrándome en mi cuarto para leer la Biblia en voz alta.

Comencé por el libro de los salmos y varios de ellos los cantaba. Esto era lo único que sabía hacer.

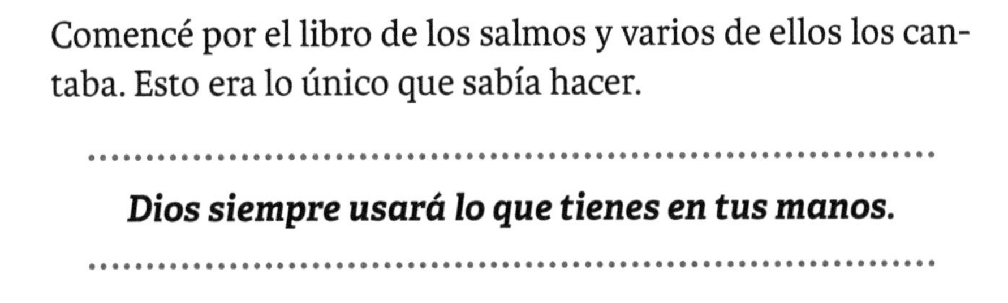

Dios siempre usará lo que tienes en tus manos.

BAUTISMO CON FUEGO

Todos los días apartaba un tiempo para orar y conocer más al Espíritu Santo. No sabía si algo iba a suceder, pero necesitaba acercarme a Él y que me tocara de la misma forma que lo había hecho ese fin de semana en el encuentro. Quería crecer y aprovechar el tiempo perdido. Todo parecía haber cambiado a mi alrededor. Mi vida había cobrado sentido, y no tenía necesidad de cometer más errores.

Me había alejado de todas las relaciones y amistades que me vinculaban con mi pasado. Con el único amigo con el que continuaba conversando de vez en cuando, era Ray, aquel compañero de la escuela secundaria. Aunque él mantenía el mismo estilo de vida homosexual, no quise cortar con su amistad porque pensé que mi cambio también le ayudaría a que algún día quisiera experimentar lo que yo tenía.

Los días continuaban pasando y yo seguía orando y ayunando en mi habitación. Oraba cinco minutos cada hora del día, pero nada significativo sucedía. Sin embargo, algo dentro de mí me impulsaba a seguir. Tenía la certeza de que algo iba a ocurrir.

Después de dos meses de haber recibido a Jesús en aquel fin de semana especial, esperé el día que pudiera ser bautizado en agua. Estaba ansioso por hacerlo ya que alguien me había dicho que después recibiría el bautismo del Espíritu Santo, y ese era mi gran anhelo, así como lo había leído en la Biblia.

> *«Yo a la verdad os bautizo en agua para arrepentimiento; pero el que viene tras mí, cuyo calzado yo no soy digno de llevar, es más poderoso que yo; él os bautizará en Espíritu Santo y fuego»* (Mateo 3:11).

Una noche, mientras estaba durmiendo, me desperté de repente y perdí el sueño. Me levanté y sentí deseos de orar. Caminé en la oscuridad hacia la sala, me puse de rodillas y vi el reloj que marcaba 1:44 de la madrugada. Cerré mis ojos y comencé: «Padre nuestro...». En ese mismo instante sentí que algo se apoderó de mi boca y de todo mi ser. Llamas de fuego subían desde la planta de mis pies hasta mi cabeza. Todo mi cuerpo fue atravesado por una electricidad. En ese momento comencé a hablar en una lengua desconocida. Lágrimas corrían por mi rostro. Me sentía encendido por el fuego, a pesar de que estábamos en pleno invierno y hacía frío en la sala de mi casa.

Después de un momento, dije: «Amén» y levanté mi rostro para ver nuevamente la hora. Eran las 2:45 de la madrugada. Había pasado una hora de rodillas, pero sentí que había sido solo cinco minutos. Supe entonces que había sido bautizado con el Espíritu Santo y con Su fuego.

Regresé a mi habitación maravillado por ese momento inexplicable. Sentía que podía conquistar el mundo, que no había monte que no pudiera escalar. Creía que todo sería posible porque estaba lleno del poder y el fuego del Espíritu Santo.

Donde quiera que fuera surgía desde mi interior el deseo de predicar, de que todos conocieran lo que estaba experimentando.

Pero eso no fue suficiente para mí, quería más, y por eso continué buscándolo cada día.

Me encerraba en la habitación y el Espíritu Santo venía sobre mí y podía sentir Su poder. Eso me llevó a ingresar en un cambio aún mayor. Hasta este punto, no tenía ningún pensamiento ni deseo de los hábitos del pasado. No quería volver atrás. Lo único que anhelaba era que todos pudieran ver el cambio que Dios había hecho en mi vida.

LA TORMENTA INESPERADA

Una tarde recibí la llamada de Jesse, aquel amigo que, como resultado de una discusión, no volvimos a hablar nunca más. Pero ese día me llamaba para pedirme disculpas y me invitaba a que regresara a vivir con él nuevamente.

Mis palabras fueron las siguientes: «Jesse, te amo como a un hermano. Has sido mi amigo por muchos años, hemos hecho muchas cosas juntos, pero mi vida ha tomado un rumbo diferente. Nuestra relación siempre ha sido tóxica y prefiero que como amigos mantengamos una distancia».

Su respuesta fue: «Te entiendo Ericsson. También te quiero mucho y me alegra que hayas decidido cambiar». Y así nos despedimos.

Luego de tres meses de haber recibido a Jesús en mi corazón, había llegado el día de mi bautismo en agua. Pero una gran tormenta cayó sobre la ciudad y todo se canceló. Me desanimé por un rato, pero instantes después llamó el pastor para decirme que igualmente realizarían los bautismos.

Eran las cuatro de la tarde y ya estaba en el lugar donde me bautizaría. Era un río cercano a mi casa. Así que después de la gran tormenta, fui bautizado en aguas. De allí nos dirigimos a la iglesia y tuvimos un culto de celebración.

Al día siguiente... lunes a la mañana, recibí un correo electrónico de uno de mis amigos pidiéndome que lo llamara al teléfono de Jesse, que necesitaba hablar conmigo. Me senté en mi cama, y llamé. Uno de nuestros amigos respondió la llamada y me dijo: «Ericsson, siento decirte que Jesse murió ayer a las tres de la tarde». Luego de preguntarle qué había sucedido, finalicé la llamada y me puse a llorar. Sentí mucho dolor en mi corazón. Mi amigo había tenido una sobredosis. Lloré porque había muerto solo, sin Jesús. Yo sabía que Jesse estaba enojado con Dios. Él odiaba el evangelio, las iglesias y a los cristianos. Creía que en algún momento podría hablar con él y tendría la oportunidad de cambiar su forma de pensar, pero no fue así. Fue tanto el dolor que decidí aferrarme aún más al Espíritu Santo, quien me llenó de paz y fortaleza para sobrellevar ese momento.

Los padres de Jesse llevaron los restos a su ciudad de origen, en otro estado, y decidí no asistir al funeral. Muchos eran los pensamientos que cruzaban mi mente, entre ellos, el pensar que, de no haber conocido a Jesús, el de la sobredosis podía haber sido yo.

A solas con Dios vi esta situación como el final de un capítulo en mi vida y el comienzo de uno nuevo. Estaba a punto de embarcarme en una trayectoria diferente. Aunque todavía no tenía todos los planos del proceso, sabía que sería el mejor camino hacia un futuro feliz.

Para hacer lo que amas, debes hacer lo que sea necesario, incluso si no amas el proceso.

IDENTIFICAR LA RAÍZ

Cuando tomé la decisión de entregar mi vida a Cristo y comenzar a transitar el camino de la fe, muchas de las luchas sexuales que había tenido por años, cesaron. Pero de repente comencé a sentir nuevamente deseos de ver pornografía. Esta fue una batalla muy difícil para mí. En ocasiones caí en la tentación y luego me sentía culpable. Oraba, ayunaba, leía la Biblia, pero, aun así, aunque lo minimizaba, la urgencia de ver, seguía ahí.

Una tarde mientras caminaba, el Espíritu Santo me habló. Sus palabras fueron las siguientes: «Tú sigues teniendo estas luchas porque son áreas que todavía no me has confesado. Sé que las tienes, pero necesitas abrir tu boca y decirme todo aquello con lo que aún estás lidiando».

Fue muy difícil para mí tener que decirle al Espíritu Santo estos pensamientos tan depravados que estaba teniendo. Cómo podía decirle al Santo Espíritu de Dios estas cosas. Pero por alguna razón olvidaba que él ya las sabía, y seguramente te pasa a ti también. Sin embargo, es necesario confesarlo.

Cuando esos pensamientos e influencias llegaban a mi mente, abría mi boca y decía: «Espíritu Santo renuncio a este pensamiento. Mi mente te pertenece. Las cosas viejas pasaron, todas son hechas nuevas».

Conforme fui tomando control sobre estas influencias en mis pensamientos sin dejarlos correr libremente, sentía el poder del Espíritu Santo fluir en mí. Y aunque estaba siendo influenciado, el enemigo ya no tenía ni tiene dominio sobre mi vida.

Algunos años después, un padre de familia se me acercó y me contó que tenía un niño de tan solo un año de edad y que había observado que cada vez que le quitaban el pañal estaba obsesionado con tocarse sus partes íntimas. El papá sentía que esto no era normal a tan temprana edad. En ese momento, el Espíritu Santo me dio el discernimiento para preguntarle si él estaba atravesando alguna lucha sexual. Con mucha vergüenza me confesó que, por las noches, mientras su esposa y su bebé estaban dormidos, miraba pornografía. Fue en ese momento que identificó la gravedad del tema y cómo estaba influyendo no solo en él sino también en su hijo. Oramos por esto y renunció a toda atadura sexual. También oramos por el niño. Un tiempo después volvimos a hablar y me contó que tanto el niño como él, estaban bien. Todo estaba nuevamente en orden.

Cuando alguien está experimentando este tipo de ataques espirituales debe identificar la raíz, y detectar desde cuándo le está sucediendo, cuándo comenzó, si hubo algún evento relevante que lo inició, qué siente y sobre todo debe saber que el Espíritu Santo le dará sabiduría para identificar la raíz y arrancarla.

En ese momento, y aun hoy, este versículo es clave: «Todas las cosas me son lícitas, pero no todas son de provecho. Todas las cosas me son lícitas, pero yo no me dejaré dominar por ninguna» (1 Corintios 6:12 NBLA).

CAPÍTULO 7

Conocer el amor

Comenzó el año 2015, y tomé la decisión de ser misionero en otra ciudad. Pero dónde debía ir, cuál sería el destino designado por Dios para mi vida. Debía dejar Nueva York, el lugar donde me crie y aterrizar en una nueva ciudad. Pero... ¿Cuál sería?

Durante un servicio dominical, después de varios meses de sentir ese llamado ministerial de dejar Nueva York, Dios me indicó a través de una palabra profética, que debía ir a la ciudad de Charlotte, en Carolina del Norte. Allí tenía preparado a un mentor, un hombre de Dios llamado Marcelino Sojo, quien me guio y me acompañó a lo largo de un año de gran ministración.

En las madrugadas, durante un año entero, comencé a disciplinarme en la búsqueda de Dios a través de la oración. Cada mañana anhelaba conocer al Espíritu Santo de una manera más íntima. Allí descubrí al Señor como mi Padre.

Entonces nuevamente Dios volvió a hablarme para darme nuevas instrucciones. Debía trasladarme hacia otra ciudad. Charlotte había sido un lugar de preparación, transición y proceso para llegar al destino que Dios tenía preparado para los siguientes cinco años de mi vida: Boston.

Organicé todo y viajé a Boston, una ciudad hermosa pero totalmente desconocida para mí. No tenía amigos, no conocía a nadie, solo a los Pastores de la iglesia, pero mi obediencia a Dios era firme. Lo único que me direccionaba hacia aquella ciudad era una palabra de parte de Dios.

Al llegar comencé viviendo en una habitación de la iglesia. Permanecí allí sirviendo, enseñando y hasta limpiando, pero siempre activo y dispuesto. Una de las actividades que desarrollaba era encargarme de todos los predicadores invitados que llegaban a la iglesia cuando teníamos eventos. Mi tarea era recibirlos desde su arribo al aeropuerto, luego acompañarlos al hotel, a la iglesia, a cenar y a todo lugar donde fuera necesario. Estaba a total disposición de los invitados.

Desde que acepté al Señor siempre estuve aferrado al servicio. El Espíritu Santo fue mi principal consultor ante cada decisión. Siempre entendí que el Espíritu Santo de Dios conocía toda mi vida, lo presente, lo pasado y lo por venir.

Constantemente a mi alrededor había gente que intentaba presentarme jovencitas para que conociera y tuviera una novia, de esa manera reforzaría mi testimonio y mi ministerio. Pero en mi interior sabía que no era eso lo que debía hacer. Aunque sentía la presión de comprender que quizás tenían razón y debía casarme.

En una ocasión, un pastor invitado para un evento llegó a la iglesia, y al igual que en otras oportunidades, yo era el responsable de cuidar de él durante su estadía en la ciudad.

Cuando estábamos camino al hotel, me dijo: «Ericsson, escucho la voz de Dios diciéndome que te vas a casar, pero todavía no es el tiempo. Y lo oigo decirme que ya conoces a la que será tu esposa. Ella ya está cerca de ti, aunque Él todavía no ha permitido que la veas». Al escuchar estas palabras, me estremecí.

Pasaron los días y no dejé que esas frases modificaran mi servicio, sino que me sumergí ministerialmente con mayor profundidad dentro de la iglesia, buscando enfocarme aún más en mi relación con Dios. Es que todavía dentro de mí había luchas internas que, aunque no las hablaba con nadie, las conversaba con el Señor.

MIS OJOS SE ABRIERON

Durante el mes de febrero del 2017, en otro evento de la iglesia, invitaron a un profeta a predicar. Una vez más estaba a cargo de acompañarlo y ser quien cuidara de él. Fui al aeropuerto a buscarlo para llevarlo a predicar al evento. Cuando terminó de ministrar lo acompañé a una sala dentro de la iglesia para que pudiera refrescarse, tomar algo y comer. En ese salón había algunas muchachas de la congregación colaborando con el servicio.

Al ingresar a la sala, el profeta se presentó ante ellas, al igual que yo, y les pregunté su nombre:

—Me llamo Alejandra, —respondió una de ellas.

—Mi nombre es Ericsson, —repliqué,

—Yo sé quién eres, —respondió con firmeza.

Al escuchar esta respuesta, el invitado se dio vuelta y me dijo:

—¿Cómo es que no sabes el nombre de esta mujer tan bella?

Me sentí avergonzado que el profeta me dijera eso frente de ella. Luego, agregó: «Si no te pones las pilas, te van a ganar el mandado».

Alejandra se echó a reír y su risa puso fin a ese momento tenso.

Dos semanas después, mientras estaba en una reunión de domingo, coordinando los tiempos de cada participación en la plataforma. Del otro lado, en el extremo opuesto, había una muchacha elegante, muy arreglada, con sus zapatos de tacón. Al verla dije: «¿Quién es esta mujer? ¿Por qué nunca la había visto?».

Caminé hacia ella, y al acercarme noté que era aquella joven que había conocido junto al profeta. La saludé y nuevamente le pregunté su nombre porque no lo recordaba: «Me llamo Alejandra, ya nos conocemos, incluso nos seguimos en las redes sociales», respondió. Inicialmente lo negué, pero ella lo buscó y en verdad éramos amigos en Facebook, aunque nunca había hablado con ella. Ese día «realmente la vi» y me pareció muy bella. A pesar de que la había visto tantas veces, esa ocasión fue especial. Sentí como si Dios me hubiera abierto los ojos y despertó en mí un interés como hombre hacia ella.

Para ese momento, también formaba parte del equipo de una radio latina en Boston. Era el presentador y conductor de tres programas. A la semana de haber conversado con ella, cuando finalizó la emisión, mientras estaba sentado solo, en el estudio, escuché la voz del Espíritu Santo que me dijo: «Si no te pones las pilas, te van a ganar el mandado». Inmediatamente comencé a preguntarme, cómo era posible que el Espíritu Santo me estuviera diciendo las mismas palabras que había dicho el profeta delante de Alejandra.

Sinceramente no estaba buscando novia, ni pensaba en casarme. Pero ahora era el Espíritu Santo quien me estaba dando este nuevo mensaje, animándome a que me comunique con ella. Pero... ¿cómo debía hacerlo? No sabía cómo debía acercarme a ella. Estaba muy enfocado en el ministerio, pero el Espíritu me había hablado con mucha confianza, firmeza y convicción. Tan claro era que me continuó diciendo: «Envíale un mensaje por Instagram, porque nadie le escribe por ahí». Así lo hice, aunque en mi interior debatía. Luchaba con la inseguridad de qué ocurriría si no me respondía, si me ignoraba. Era una muchacha tan bella, que no creía que estuviera al nivel del tipo de hombre que ella elegiría. Tenía la percepción de que Alejandra buscaba ciertas cosas que, quizás yo, no las tenía.

Sin embargo, pensé: «¿Qué es lo peor que me puede pasar? Que no me responda...». Entonces le escribí. Lo leyó, y a la media hora me respondió. Fueron los minutos más largos de mi vida. Luego supe que la razón del porqué no me había respondido inmediatamente fue porque no podía creer que yo le había escrito. Me veía como uno de los líderes importantes de la iglesia, y no creía que podía fijarme en ella. Alejandra tenía otras inseguridades totalmente diferentes a las que yo experimentaba.

Continuamos escribiéndonos por Instagram. Luego le di mi número de teléfono y así comenzó un tiempo de cortejo. Puedo asegurarte que el único que me enseñó a enamorar a Alcjandra fue el Espíritu Santo. Él me decía qué hacer, cómo hablarle, dónde llevarla. Nunca antes había tenido una novia. Realmente no sabía cómo tratar a una mujer.

INSEGURIDADES AL TENER UNA PAREJA

Poco tiempo después se despertó en mí una fuerte afinidad hacia Alejandra. Surgieron en mí sentimientos de atracción física, y la ilusión de verme acompañado de una mujer. Desde muy joven tuve una relación muy hostil con las mujeres. Siempre estaba en conflicto con ellas, en especial durante mi preadolescencia, mientras vivía en mi país de nacimiento, en Latinoamérica. Allí había experimentado muchísimos episodios de acoso y burla de parte de los estudiantes, no solo de varones, sino también de niñas. Ellas inventaban chismes y conflictos entre los varones y yo. Creaban historias muy feas y se las contaban a otros niños, en especial a los más violentos, a los que sabían que eran peleadores. Llegué a odiar a esas niñas y sin darme cuenta estaba generando hostilidad y rechazo dentro de mí hacia las mujeres.

Esto formó raíces de amargura y de inseguridad en mi carácter. Era un ataque directo a mi masculinidad, a no sentirme un hombre lo suficientemente atractivo, y a no formar parte del estándar de la masculinidad.

Cuando conocí a Alejandra, volvieron a surgir esas inseguridades que sembraban duda en mi mente: ¿Me verá atractivo? ¿Lograré llamar su atención? ¿Alcanzaré a ser lo que ella está buscando?

En ese momento de incertidumbre, el Espíritu Santo ministró mi corazón y me habló acerca de mi identidad y que esta no depende de lo que la gente piense de mí.

Cuando debo presentarme, mis palabras son: «Me llamo Ericsson, soy un hijo de Dios, tengo una relación íntima con el Espíritu Santo, y nadie me la puede quitar. Eso me da valor e identidad. Eso me da confianza». Todas las seguridades que el Espíritu Santo instaló en mí me impulsaron a dar ese primer paso para hablar con Alejandra. Así comenzó otra etapa de mi vida, otra temporada, otro periodo de transformación y restauración. Tiempo de enseñanza de parte de Dios para mí.

REVELARLE MI PASADO

Uno de los temores más grandes que tenía frente a Alejandra era que, mi novia y posible futura esposa, supiera acerca de mi pasado. Desde que me convertí, los cristianos que me rodeaban, muchos a los cuales admiro, me habían sugerido que no hablara de mi pasado. Confiaba y respetaba sus consejos, y así lo hice. De hecho, pasaron varios años antes de poder hablar acerca de cómo había sido mi vida antes de conocer a Cristo. Pero también tenía en claro que en el momento que conociera a quien sería mi futura esposa, le contaría todo, no quería tener secretos con ella. Necesitaba que supiera exactamente quién había sido, y que tuviera una clara percepción de hacia dónde me dirigía. Pero, al mismo tiempo, me daba mucho temor hablar con ella del tema, porque no quería que me rechazara o que dudara de mi amor.

A través de todo este proceso pude ver la manifestación del Espíritu Santo en mi vida. Él se volvió una realidad tangible que me sostuvo. Aunque para algunos puede sonar tonto, consultaba todo con el Espíritu Santo. Por ejemplo: cómo debía vestirme, cómo tenía que peinarme, qué haríamos ese día. Esa relación se tornó tan íntima porque no tenía amigos, solo algunos conocidos dentro de la iglesia.

Creo que lo más difícil para todos es rendirnos totalmente a la voluntad de Dios y soltar el control de nuestra vida, de nuestra voluntad, de nuestras percepciones y de todo lo que debo hacer y decirle: «Señor guíame en cada paso que voy a dar». Es más fácil decirlo, que vivirlo.

Hay momentos en los que hemos aprendido a través de nuestra lógica humana, lo que hemos visto en películas, en telenovelas o lo que hemos leído en libros a través de los años.

Todas esas historias están grabadas en nuestra mente y han influenciado la manera en la que enfrentamos el día a día para navegar las olas calmas y tormentosas de nuestra vida personal.

Pero cuando le entregué mi vida a Jesús entendí que tenía que darle absolutamente todo de mí. Lo que había planeado hasta ese momento, ya no importaba. Él tenía que guiarme. Había cometido tantos errores al decidir por mi cuenta, pero había vivido tantas maravillas y milagros poderosos cuando Él me guiaba, que en este punto llegué a entregar mi voluntad.

Cuando cursaba la escuela de misiones, la gente me decía que era demasiado místico y que espiritualizaba todo, que era un «religioso». Pero la verdad era que, al haber vivido una vida tan descarriada, en la que vi muchas cosas que no debía haber visto, y practicado cosas de las que no debía de haber participado. Para mí, la única forma de resguardarme era bajo las alas de la Presencia del Espíritu Santo.

Por esa razón no quería que nada dañara esa relación tan importante. Así fue que decidí entregarme totalmente a su voluntad. Y como mi mejor amigo le consultaba todo.

A causa de todos los consejos que había recibido, cuando trabajaba en la radio, siempre tratábamos diferentes temas, pero nunca hablaba de mí ni de dónde Dios me había rescatado. Nadie sabía mi historia, excepto las personas más cercanas. Siempre predicaba enseñanzas bíblicas en la mañana radial, pero un día muy temprano, luego de haber orado todo el fin de semana, quería comenzar una nueva serie de enseñanzas, sin embargo, el Espíritu Santo no me revelaba acerca de qué tema enseñar.

Cinco minutos antes de comenzar el programa en directo, ya frente al micrófono, sentí una fuerte convicción en mi corazón, entonces le reclamé al Señor: «No, no puedo hablar de eso». El Espíritu Santo me estaba impulsando a contar mi historia. Realmente tenía gran temor a hablar de mi vida pasada. Tenía miedo de que me juzguen, me critiquen y me rechacen. Por lo tanto, no cedí.

Ese lunes prediqué un mensaje que ya había enseñado antes, pero me rehusé a contar mi testimonio. Llegó el día martes y nuevamente le pregunté al Espíritu Santo qué debía predicar y volvió a decirme: «Habla de ti». Pero no lo hice. Esa tarde sentí que había contristado al Espíritu Santo porque no había obedecido.

Al siguiente día, un miércoles temprano, me senté frente al micrófono, respiré profundo, y dije: «Hoy quiero hablarles acerca de quién es Ericsson. Cada mañana me escuchan pero, no saben nada de mí». Así fue que aquel día relaté mi testimonio. Mi historia acerca de cómo había llegado a ser homosexual y cómo el Señor me había hecho libre. Durante tres días conté acerca de cómo Dios había transformado mi vida. Los teléfonos de la producción comenzaron a sonar sin parar. Personas llamaban llorando y contando testimonios luego de haber escuchado el programa.

Como sabes, desde hacía unas pocas semanas había comenzado mi relación con Alejandra, y esta era mi forma de ser honesto con ella desde un principio, aunque realmente creí que no estaba escuchando la programación de ese día.

Una tarde, mientras íbamos en el automóvil, le dije que quería hablar con ella. Estacionamos cerca de la playa y con un hermoso paisaje a nuestro alrededor, le comenté:

—Alejandra, quiero contarte algo de mi vida, algo acerca de quién yo era. Aunque esa persona ya no existe, quiero decírtelo todo.

—Si vas a contarme sobre tu vida pasada como homosexual, no tienes que decirme nada, ya lo sé todo, —me respondió.

Pero cómo es que lo sabes, si no se lo he dicho a nadie, —le dije asombrado.

Amorosamente me respondió que ella siempre sintonizaba mi programa de radio en las mañanas, y había escuchado mi historia de vida.

En ese momento, un gran peso se fue de mí. Entonces ella continuó diciendo: «Oír tu testimonio y saber que habías sido homosexual, me impactó, porque pude ver el poder de Dios obrando en tu vida. No tienes por qué sentirte mal. Ahora te admiro mucho más que antes. Saber de dónde Dios te sacó y en quién te has convertido, produce en mí una gran admiración». Sus palabras me dieron paz y confianza. Sentí la seguridad de que estaba transitando el camino correcto.

En esos pequeños detalles, el Espíritu Santo venía obrando a mi alrededor, preparando el camino. Lo único que yo tenía que hacer era dar pasos de fe, confiar y avanzar. Cuando nos entregamos totalmente al Espíritu Santo, Él se encarga del resto.

CAPÍTULO 8

El Espíritu Santo: entrenador de parejas

Luego de haber vivido en un ámbito homosexual, conocer una mujer y enamorarme de ella, produjo en mí muchas inseguridades acerca de cómo cuidarla y demostrarle mi amor de acuerdo a cómo Dios nos enseña que debe ser tratada.

El solo hecho de aprender a tomarla de la mano o abrazarla, era un desafío que debía aprender a hacerlo con cuidado en una expresión romántica. Para ello conté con el Espíritu Santo, quien fue mi guía y amigo. Si Él no hubiera estado en mí, hubiera sido imposible compartir todo lo que experimenté.

Luego de haber sido durante un tiempo amigos, decidí pedirle oficialmente que fuera mi novia. No hallaba la mejor forma de hacerlo y le decía al Espíritu Santo: «Señor, Alejandra es tu hija, conoces su corazón y sabes todas las cosas que a ella le gustan. ¡Ayúdame! Pon en mí ideas para enamorarla».

Así fue que el Espíritu Santo me dio la idea de regalarle un peluche. Este debía ser una vaca blanca y negra, dentro de una caja y con una tarjeta preguntándole si quería ser mi novia. Realmente no encontraba un peluche con esas características, hasta que un día, mientras iba manejando, el Espíritu Santo me dijo: «Detente aquí. Entra en esa panadería». Obedecí, y cuando ingresé, en un estante tenían a la venta la vaca de peluche que tanto había buscado y no encontraba.

Armé la caja de acuerdo a las instrucciones recibidas y luego me agregó una nueva idea. Llévala al lavadero de autos, esos que son automáticos, con esos cepillos que lavan el auto mientras este se mueve solo. A esa altura estaba totalmente decidido a realizar todas las instrucciones que el Espíritu Santo me indicara. La pasé a buscar y conduje al lavadero de autos. Cuando el vehículo estuviera en medio del lavado, le pediría que fuera mi novia.

Ingresamos a la máquina de lavado y ella quedó asombrada con los diferentes colores de jabón, las luces y todo el proceso. Nunca antes había visto el lavado de automóviles en forma automatizada. En la ciudad donde ella nació, se realizan de una forma diferente, más artesanal. En medio del proceso de lavado le entregué la caja con el regalo, le pregunté si quería ser mi novia, y aceptó. Esos pequeños detalles la impactaron.

Cuanto más me acercaba a ella, se despertaba en mí una pasión y una atracción física maravillosa. Surgieron emociones que nunca antes había experimentado: Me sentía atraído por una mujer.

Esa pasión despertó sensaciones físicas como hombre y una atracción sexual surgió dentro de mí. Comencé a verla con ojos apasionados. Al mismo tiempo, buscaba más de Dios porque sabía que podía venir una gran tentación sobre mi vida a causa de lo que estaba experimentando.

Recuerdo nuestro primer beso. Ella me besó. La llevé a su casa y cuando la dejé en la puerta, se dio vuelta, me dio un beso en la boca y salió corriendo. Quedé paralizado. En ese beso sentí sus labios suaves, la ternura del amor, y una gran sensibilidad.

CONOCERNOS PARA NO FALLAR

Al tiempo de habernos puesto de novios la gente nos decía: «Al principio del matrimonio todo es bonito, pero después de los seis meses, todo cambia». Eso me hacía enojar porque querían establecer en nuestra vida el mismo patrón de los demás. Entonces hablamos específicamente con Alejandra acerca de esto, ya que no queríamos que nos sucediera lo mismo que a tantos otros. Algunos dicen que al comienzo siempre se muestra las mejores partes de uno, entonces idealizamos a la persona. Pero cuando finalmente se casan, en la confianza, se muestran tal y como son.

Fue así que le pedí a Alejandra que fuera honesta conmigo y se mostrara tal cual ella era. También necesitaba que me dijera todas aquellas cosas que no le gustaban de mí. Ambos seríamos intencionales para conocernos como realmente éramos. Eso nos ayudó muchísimo porque comencé a darme cuenta cuando ella estaba de mal humor, o cuando yo estaba enojado. De esa manera logramos conocernos más profundamente durante el noviazgo, sin llevarnos sorpresas cuando ya estuviéramos casados. No nos idealizamos, sino que nos mostramos tal y como éramos durante esa etapa de enamoramiento.

Nuestras largas charlas eran intencionales. Durante el tiempo de nuestro noviazgo hablábamos sobre cuántos hijos queríamos tener como parte de la familia, cómo los criaríamos y educaríamos. Esta sinceridad nos ayudó a comprender antes de casarnos, que también teníamos diferencias culturales, de creencias, de formación. Que debíamos resolver ciertos temas que quizás en el matrimonio hubieran causado problemas, pero al haberlos identificado durante la etapa del noviazgo, debíamos unificar nuestra forma de pensar hasta el punto en que nos pusiéramos de acuerdo.

Mientras hablábamos de esto regresó a mi memoria emotiva la sensación de que, en varias oportunidades de mi vida anterior, había anhelado tener una familia. A veces me veía en un automóvil bonito con una hermosa mujer que fuera mi novia. De repente me veía con una esposa y niños corriendo a mi alrededor. Entonces entendí que en lo más profundo de mi ser siempre deseé experimentar lo que era amar a una mujer.

Pues nada de esto hubiera sido posible con otro hombre. No era lo correcto. Lo extraño es ver parejas conformadas por dos hombres o dos mujeres, adoptando niños o rentando un vientre. Dios había transformado mi vida, ahora podía hacer realidad mi sueño de tener mi propia familia.

Una tarde, mientras iba manejando, tuve una visión: Me vi sobre una plataforma predicando. Había muchísima gente escuchando y el poder de Dios descendía y veía caer gente al piso. Comencé a llorar y busqué una alabanza en la «playlist» de mi automóvil y mientras la escuchaba lloraba aún más. Dios lo había hecho realidad. El Espíritu Santo tenía algo preparado para mí y seguramente lo tiene también para ti.

Hoy puedo asegurarte que el Espíritu Santo me ayudó a conquistar y a enamorar a Alejandra. Antes de que Jesús regresara al cielo nos dijo que vendría el Consolador que nos guiaría en toda verdad, para ayudarnos y enseñarnos todas las cosas que seguramente debíamos haber aprendido de una figura paterna terrenal sana en nuestra vida.

Mis papás me tuvieron cuando eran muy jóvenes. Creo que su inmadurez y falta de conocimiento afectó mi vida. Seguramente eso hizo que no tuviera una figura paterna sana en los inicios de infancia. Pero el Espíritu Santo vino de forma sobrenatural para recuperar y enseñarme todas esas cosas que debí haber aprendido a través de mi papá biológico. Quizás mi papá tuvo la intención de enseñarme esas cosas, pero a causa del resentimiento que tenía hacia él, nunca estuve dispuesto a escucharlo.

El Espíritu Santo me enseñó a ser masculino, un varón a la manera de Dios. Ese tiempo de noviazgo no solamente me sirvió para conectarme con Alejandra, para conocerla profundamente y entenderla mejor, sino también para comprender las emociones y la sensibilidad de una mujer. En esa etapa de enamoramiento, el Espíritu Santo me enseñó a soñar despierto, a ser el protector, la cabeza de la familia, el varón guardián de cualquier peligro.

El Espíritu Santo también se reveló a mi vida enseñándome cómo ser el varón de guerra de la casa y de la Iglesia. Comencé a sentir ese poder dominante del Espíritu Santo en mi vida.

LA FORMACIÓN DE UNA FAMILIA

El tiempo del noviazgo fue una etapa muy bonita. Nunca imaginé tener una novia tan linda, poder abrazarla y disfrutar de su compañía. Caminábamos por el parque y conversábamos acerca de nuestro futuro y de todo lo que queríamos hacer. Yo le contaba sobre el Ministerio y mi sueño de servir a Dios. ¡Me encantaba disfrutar con ella de esos momentos!

Ambos nos envolvimos en los sueños del otro y nos involucramos intencionalmente con ellos. De a momentos le decía: «Alejandra, ¿eres consiente de con quién te vas a casar?». No me refería a mi historia sino al llamado profético a las naciones que Dios tenía para mi vida. No era un llamado a enseñar dentro de la iglesia sino a equipar, predicar y evangelizar a las naciones. Anhelaba que ella comprendiera y fuera consciente de que no sería fácil, que tendríamos luchas y ataques, pero que era parte de lo que Dios me había llamado. Pero ella estaba segura de la decisión que había tomado y del propósito que Dios tenía para mí, y que una vez casados, ella también formaría parte de él.

Alejandra sabía que mi testimonio no era común. Dios me sacó de la homosexualidad, y era necesario que su familia también lo supiera. No estábamos seguros de cómo lo tomarían, ya que en algún momento se enterarían al escucharlo en mis prédicas testimoniales o al leer mis libros. Siempre hablábamos de todo eso y ambos estábamos conscientes a lo que estábamos enfrentándonos.

Si Dios te ha llamado y ha puesto un don en ti, tienes que saber que tu vida tiene que ir en dirección a ese llamado para protegerlo. Satanás intentará desviarte, desenfocarte, para que no logres todo lo que vas a alcanzar. Se acercarán personas a tu vida que parecerán que vienen de Dios, pero no será así. Debes ser cuidadoso con las alianzas que formas y de las amistades que elijas. El enemigo es muy astuto y puede traer personas a tu vida que por muy cristianas y amables que parezcan, no forman parte de tu llamado ni están dispuestas a vivir todo lo que Dios tiene para ti. Porque, aunque el ministerio al que Dios te ha llamado es glorioso, también tiene momentos difíciles, de desiertos, de tribulaciones, de enfermedad, de incertidumbre. Es por eso que ambos en el matrimonio tienen que estar firmes y unidos.

Por esa razón, con Alejandra siempre hemos cuidado la unidad acerca de cómo vamos a lidiar con las dificultades, cómo enfrentaríamos a la persona con la que teníamos que hablar. Esa alianza nos ayudó a identificar el momento indicado para hablar con sus padres. Ese sería nuestro siguiente desafío.

MIS PADRES

Cuando conocí a Alejandra, ya hacía algún tiempo que estaba concurriendo a la iglesia. En ese entonces, mi padre y mi madre ya habían visto un cambio firme y consistente en mí. Al comienzo de mi conversión, mi familia no creía en mi transformación, pero al ver que me mantenía firme en el tiempo, comenzaron a creer y vieron que Dios verdaderamente me había transformado. Es muy desalentador para los hijos tener padres que no crean en ellos. La Biblia dice que «el amor todo lo cree y lo soporta», quizá tus hijos hayan cometido muchos errores pero, hay un poder que los fortalece y es el poder de un padre que cree en ellos a pesar de las equivocaciones del pasado.

A raíz de todo lo que habíamos vivido dentro de mi casa, llegó la división, el desgaste producido por tantos años de desacuerdos y malas relaciones, y concluyó con la separación de mis padres. Así permanecieron por muchos años, pero finalmente Dios restauró su matrimonio luego de mi casamiento con Alejandra.

Después de unos meses de novios, llamé a mi casa y le dije a mi madre: «Encontré a una muchacha que me gusta muchísimo, y quiero que la conozcas». Con mucha felicidad aceptaron conocerla durante un viaje a Nueva York. Mi intención era casarme con Alejandra y ellos debían estar al tanto de lo que pronto iba a ocurrir.

Antes de proponerle matrimonio decidí ayunar veintiún días para buscar la confirmación de Dios. No quería cometer ningún error. Y aunque no le había comentado a Alejandra el propósito de mi ayuno, ella decidió ayunar también. Tiempo después me dijo que su petición fue la misma que la mía. Queríamos la confirmación de Dios para el paso que estaríamos por dar.

No llevaba mucho tiempo ayunando cuando Dios me habló. Escuché la voz del Espíritu Santo que me dijo: «Ella es tu esposa». Entonces recibí paz en mi corazón y llamé a mi mamá para contarle, a lo cual ella respondió:

—Ericsson, ¿estás seguro del compromiso que vas a tomar?

—Sí, estoy seguro de lo que quiero hacer, —contesté.

—Siempre creí que Dios te transformaría. Es por eso que tengo un anillo de diamantes que te voy a entregar. Lo he mantenido guardado para que se lo entregues a la que sería tu esposa. Hoy mismo te lo envío.

Mi madre le pidió a mi hermano que manejara más de tres horas desde Nueva York hasta Boston para entregarme el anillo con el que le propondría matrimonio.

Lo más sorprendente fue que ese anillo que ella había comprado proféticamente, pensando en que algún día yo me iba a casar, a Alejandra le quedó perfecto en su dedo anular y no fue necesario ajustarlo.

MIS SUEGROS

La reacción de la familia de Alejandra fue un poco diferente. Ella proviene de México, y desde el momento que decidió que viviría en los Estados Unidos, sus padres no estuvieron de acuerdo. Poco tiempo antes de ella regresar a vivir nuevamente a México, ellos se enteran de que su hija estaba de novia... Esto confirmaba que Alejandra no regresaría más a su país natal.

Cuando nuestra relación de noviazgo ya estaba firme, planeamos con Alejandra un viaje a Arizona (Estado donde su familia podía llegar conduciendo su automóvil), así podríamos conocernos y tomar unos días de descanso juntos.

El encuentro fue muy cordial. Todo estaba bien, aunque yo estaba un poco preocupado porque no sabía cómo iban a reaccionar ante mi pedido de compromiso. Una tarde, durante una de las conversaciones y a modo de broma, su mamá me dijo: «No me vayas a salir con que quieres pedirnos en casamiento a nuestra hija. No vas a andar con esas locuras». Nos reímos nerviosos y no dijimos nada. Para ese momento habíamos decidido omitir mi pasado homosexual hasta el momento oportuno. Aunque al conocerme, durante un tiempo a solas con Alejandra le dijeron que notaban en mí algunos gestos o rasgos un poco afeminados. Era lógico su reacción al relacionarlo con la cultura machista, de rancheros, de la cual provienen. Mi suegro es muy varonil y se dedica a la ganadería en el campo. Entonces me veía como un niño de ciudad.

Durante uno de esos pocos días junto a ellos surgió la oportunidad de acompañarlo a hacer un cambio de aceite al auto que estaba manejando. Como necesitaba a alguien que hablara inglés me pidió que lo ayudara. Fuimos los dos solos y para aprovechar la oportunidad, cuando esperábamos por el auto, le dije: «Don Manuel, quiero hablar con usted. Sabe que estamos de novios con Alejandra y hemos desarrollado un amor muy especial. Ella es una muchacha muy trabajadora, inteligente, a quien admiro muchísimo. Es una mujer muy linda, educada y emprendedora. Quiero que sepa que la amo y deseo comentarle que voy a pedirle a su hija que se case conmigo, pero no lo haré sin antes decírselo a usted y que nos dé su bendición».

Habíamos pasado tan solamente tres días con ellos, y para mi sorpresa, su padre me dijo: «Ericsson, después de haber pasado este tiempo contigo, no puedo pensar en una persona mejor para casarse con mi hija. Tienes mi bendición. ¡Cásense!». Mi corazón saltaba de alegría y emoción. Habíamos logrado superar la parte más difícil de este lado de la familia. Solo restaba decírselo a su mamá, pero debíamos esperar el momento adecuado.

Al regresar de reparar el automóvil fuimos a almorzar, y el papá le dijo a su esposa delante de toda la familia: «Ericsson tiene algo que decirle que a mí me lo contó cuando estábamos haciendo el cambio de aceite al vehículo». Su mamá atenta preguntó: «A ver chamacos, ¿qué me van a decir?». Entonces el esposo respondió: «¡Que se van a casar! Ericsson acaba de pedirme la mano de Alejandra».

Sorpresivamente su mamá se puso a llorar. Ella no estaba feliz, ya que el simple hecho de que su hija se casara conmigo significaba que viviría muy lejos de ella. Más allá de ese llanto, su madre aceptó, y recibimos la bendición familiar para comenzar con los preparativos.

Desde ese momento, el Señor comenzó a darme gracia y favor para con ellos. Conforme fuimos conociéndonos y acercándonos más, nos fuimos amando como familia.

Y FUERON FELICES Y COMIERON PERDICES

Antes de conocer a Alejandra, ya siendo cristiano, durante una de mis tantas conversaciones con el Espíritu Santo, me dijo que tendría un niño, un varón y que se llamaría Alejandro. Nunca olvidaré esa palabra que daba inicio a sueños que nunca había imaginado lograr.

Durante el tiempo de novios hablábamos de todo esto y ella me escuchaba y aceptaba mis comentarios. Confiaba plenamente en que yo no usaba el nombre de Dios en vano o para manipular sus emociones. Lógicamente, luego de unos meses nos casamos y como dice el dicho popular: «Fueron felices y comieron perdices».

Realmente durante los años de casados que ya llevamos al momento de escribir estas páginas, hemos vivido los mejores momentos de alegría y también de dolor, que seguramente en otro libro te contaré. Por supuesto luego de varios meses, y después de la pérdida de nuestro primer bebé, debo confirmarte que llegó la noticia del embarazo de Alejandra y la alegría de celebrar la confirmación de aquella palabra dada por el Espíritu Santo. Nuestro primer hijo fue varón y se llama Emmanuel Alejandro.

Tiempo después esperábamos a nuestro segundo hijo, y esta vez fue una niña, y nuevamente el Espíritu Santo nos dio nombre para ella: Milena Victoria.

Hoy conformamos una hermosa familia que está unida sirviendo al Señor y que se ha prometido continuar sirviéndolo el resto de sus vidas.

CAPÍTULO 9

Una esperanza real traerá cambios reales

POR ALEJANDRA

Los planes de Dios son perfectos y siempre nos prepara para las cosas que están por venir. Él va moldeando nuestro carácter para afrontar de la manera correcta las situaciones que se nos presentarán en la vida. Exactamente así lo hizo conmigo.

Me permitió nacer en un país hermoso y diverso como México, al cual amo con todo mi corazón. Pero como no todo es perfecto, también tiene características que marcan nuestra vida de una forma desfavorable.

Crecí en una cultura donde el hombre quiere imponer su autoridad a través de sus fuerzas y así oprimir a la mujer. Ese hombre que siempre es fuerte, que nunca se equivoca, que no pide perdón por sus errores y mucho menos llora frente a los demás. A esto le llamamos una «cultura machista».

Aunque creo que en la actualidad ese tipo de mentalidad ha cambiado un poco, confío en que muchos hombres y mujeres al conocer a Jesús, podrán entender el rol que Dios nos ha dado a cada uno al encontrar nuestra identidad en quien nos creó.

Otra característica de la cultura en la cual crecí es «el qué dirán». Para todos suele ser muy relevante lo que los demás dicen de ti, por lo tanto, les importa tener una buena imagen, aunque al hacerlo deban aparentar ser quienes en verdad no son. Por esta razón, toda mi vida me importó mucho la opinión de los demás acerca de mí y de mis acciones. Todo lo que hacía siempre estaba determinado por lo que los otros pudieran decir de mí. Incluso dejaba de realizar aquellas cosas que deseaba por complacer a los demás, para caerles bien y que no opinaran mal de mí. Esa era una de mis prioridades. Vivía de apariencias, porque no había encontrado mi identidad.

Con esto no pretendo decir que debemos quedar mal ante los demás y dar un mal testimonio, pero es necesario saber que lo que otras personas piensen u opinen, no debería determinar quiénes somos o cómo debemos de actuar. No podemos entregarle a los demás el control de nuestro estado de ánimo, de nuestras emociones ni de nuestra vida.

Cuando tuve un encuentro con Jesús y empecé a tener una relación personal con Él, me mostró que soy Su hija, que mi identidad está en Él y no en lo que las personas dicen acerca de mí. Esto me devolvió el amor propio y cada día me ha ayudado a enfrentar mis inseguridades y a volverlas en una fortaleza.

A partir de ese momento, Dios quitó la venda de mis ojos y pude empezar a ver a las personas y todo a mi alrededor de una manera muy diferente. Mi forma de pensar empezó a cambiar por completo. Al haber crecido rodeada de machismo, tomé la decisión de orar por un esposo que no fuera de esa manera. Sabía que esa oración era difícil porque, aunque no todos los hombres mexicanos son machistas, gran parte de los que yo conocía, lo eran. Pero algo tenía en claro: para Dios nada es imposible. Si Él me estaba preparando, puliendo mi carácter, mis costumbres y mi forma de pensar, era porque al mismo tiempo estaba preparando a un hombre conforme a Su corazón, con Sus valores y principios, para juntos cumplir Su propósito.

CUANDO TODO EMPEZÓ

Una noche me invitaron a un servicio especial de la iglesia, y Ericsson era el predicador de esa noche. Allí lo vi por primera vez. No niego que me llamó mucho la atención, pero esa noche no nos saludamos ni hablamos, sino hasta casi un año después.

Aunque no éramos amigos, yo sabía quién era él, ya que asistíamos a la misma iglesia y lo reconocía como un hombre de Dios. Aunque hasta ese momento nunca habíamos hablado, lo había escuchado predicar varias veces y podía ver cómo Dios lo usaba de manera sorprendente.

Cuando comenzó a hablarme, yo ya tenía un muy buen concepto de él. Mi prioridad era que la persona que potencialmente se convertiría en mi novio y luego en mi esposo, TENÍA que ser un hombre que amara a Dios por sobre todas las cosas. Había muchas características que podían ser negociables, pero esta no. Yo había entendido la importancia de poner a Dios en el primer lugar de mi vida y no iba a aceptar a alguien que no lo hiciera. Porque Dios nos manda a no unirnos en yugo desigual (2 Corintios 6:14).

Al conocernos, él no sabía cómo sería mi reacción al saber acerca de su pasado. Pensaba que tal vez lo iba a rechazar. Pero Dios, con su gran amor, ya me había preparado para ese momento también, y me había otorgado la madurez y el amor para ver las cosas de una perspectiva diferente a como tal vez otras personas en mi lugar lo verían.

Por medio de su programa de radio, ya había tenido la oportunidad de escuchar su testimonio (lo cual él no sabía), pero en el momento que tímidamente quiso contármelo, yo ya conocía gran parte, aunque me interesaba saber más. Desde el principio fue muy transparente conmigo, y valoro mucho que así haya sido. Eso es algo muy importante para mí en una relación.

Al escuchar los relatos de cada momento que le ha tocado vivir, no me asustó ni tampoco decidí salir corriendo, sino que pude sentir compasión por todo lo que había vivido y pude ver el gran amor que Dios tiene por cada uno de nosotros. Porque, a pesar de cometer errores alejándonos de Él, dejándonos confundir y enredar en los planes del enemigo, aun así, Dios nos ama y Su voluntad es restaurarnos y sanarnos para que podamos recuperar nuestra identidad como Sus hijos.

Gracias a que mi identidad está en Dios y no en lo que los demás dicen de mí, pude ver las cosas de una manera muy diferente. Dios me preparó para el momento en el que conocería a Ericsson, un gran hombre de Dios, pero con un pasado que para muchos es un tabú, un tema omitido.

SUPERANDO LAS INSEGURIDADES

Al principio de nuestra relación de noviazgo surgieron inseguridades en mí. Recuerdo una ocasión en la que Ericsson tenía que transportar a un invitado a nuestra iglesia. Necesitaba acompañarlo y trasladarlo donde requería, esto demandaba que estuvieran mucho tiempo juntos. En ese momento llegó la inseguridad. Esos pensamientos que el enemigo pone en nuestra mente para causar duda y contienda. Cuando eres la novia de un ex homosexual no solamente te vienen pensamientos con relación a las mujeres, sino también a los hombres.

Pero en esos momentos que llegan los pensamientos, aunque seamos cristianos, nos afectan. Es por eso la importancia de tener una relación con Jesús. Porque cada pensamiento negativo que arribe a tu mente, toda mentira del infierno, podrá ser contrarrestada con una verdad poderosa que provenga de Dios. Si te entretienes con un pensamiento, este provocará una emoción y si no lo contrarrestas, provocará una reacción en consecuencia.

Al principio venían pensamientos de inseguridad, de que no era bueno que Ericsson tuviera amigos. Todos ellos querían provocar en mí un proceso de desconfianza contra mi novio. Por un tiempo los contemplé en mi mente, pero solo los guardaba en mi corazón. Nunca le comenté a Ericsson lo que me estaba ocurriendo, porque sabía que eran pensamientos sin sentido y había podido identificar que representaban ataques del diablo que necesitaba enfrentar.

Así como me ha pasado a mí, te puede estar pasando a ti. La batalla toma lugar en nuestra mente y aunque no le digas a nadie acerca de esos pensamientos, estos no se detienen. Si no haces algo al respecto, empezarán a crear raíces de amargura en tu interior o terminarás reaccionando a ellos.

Te comparto siete claves que nos han ayudado durante todo este tiempo de matrimonio y aun durante el noviazgo:

1. **No actuar conforme a lo que siento hacer en ese momento**. Pensamientos en contra de mi esposo,

en contra de nuestra relación. Debo llevar mis pensamientos cautivos a la obediencia de Jesús (2 Corintios 10:5).

2. **Alimentarme constantemente de la Palabra de Dios,** porque solo así he podido contrarrestar los pensamientos que provienen de Satanás: con pensamientos de bien y verdad que provienen de Dios (Filipenses 4:8-9).
3. **Intimidad con mi Padre**. Él sabe todos nuestros pensamientos, pero es necesario que confesemos lo que nos está pasando y pidamos Su ayuda. El Espíritu Santo me ha ayudado a enfrentar todo pensamiento que ha intentado abrumarme y poner duda en mí. En los momentos de oración es donde nuestras energías se renuevan, donde encontramos nuestra identidad y nuestra visión se aclara (Santiago 4:7-10, Juan 15:5).
4. **Una comunicación transparente con mi pareja**. Algo muy importante en cualquier relación es la comunicación, aún desde que son amigos y se están conociendo. La comunicación es primordial para que se desarrolle una relación sana y que la confianza pueda existir.

   No se trata solo de hablarnos todos los días sino de un diálogo basado en la transparencia, hablar con mi pareja aun de mis debilidades y tentaciones. De esos pensamientos más ocultos y vergonzosos que vienen a mi mente y buscan condenarme.

   La comunicación basada en la transparencia es clave para el matrimonio porque alimenta la confianza diariamente, y conforme vamos confiando más, no hay oportunidad para pensamientos de duda, celos o contienda.

En los momentos difíciles y de incertidumbre la transparencia de Ericsson fue esencial para que confiara más en él (Proverbios 25:11, Santiago 1:19).

5. **Amor y misericordia.** Cuando mi esposo me cuenta alguna de sus debilidades, algún error que ha cometido o pensamiento que lo ha entretenido, no lo juzgo, no le reclamo, sino que lo trato con amor y misericordia. Siempre tengo en mente que todos estamos propensos a caer y en algún momento puedo ser yo quien necesite amor y misericordia.

   Siempre le pido al Espíritu Santo sabiduría, que me ayude a tener las palabras y la actitud correcta, porque una respuesta poco sabia junto a una actitud incorrecta, puede ocasionar que, en un futuro, mi esposo pierda el deseo de contarme lo que le esté pasando (1 Pedro 4:8, 1 Corintios 13:4-7).
6. **Orar el uno por el otro**. Este punto es muy importante, ya que como esposas necesitamos orar por nuestros esposos, y viceversa. Ora por las debilidades de tu pareja, que Dios le dé fortaleza y sabiduría. Estas oraciones romperán cadenas y los unirán aún más (Santiago 5:15-16).
7. **Poner a Dios como centro de nuestra relación**. Con Ericsson hemos decidido que Jesús sea el centro de nuestro matrimonio. No estamos solos en este hermoso compromiso. Él está con nosotros, y durante todo este tiempo nos ha guiado y sé que lo seguirá haciendo.

> Me encanta saber que mi esposo ama a Dios por sobre todas las cosas y sé que, aunque vengan tentaciones, ama tanto a Dios que no haría nada para fallarle, y por lo tanto no me fallaría a mí (Proverbios 3:6).

Estas son las claves que Dios nos ha enseñado para aplicar en nuestra vida personal y matrimonial. No somos una pareja perfecta, pero, cada día con la ayuda de Dios seremos mejores.

Hay algo que debemos entender: todos tenemos un pasado. Aunque no todos hemos enfrentado las mismas cosas, siempre el enemigo traerá el pasado al presente para intentar robarte tu futuro. Sin embargo, necesitas tener en claro que, lo que Dios ha limpiado y ha hecho nuevo realmente así está, no dudemos del poder de Dios. Y aún más, Dios nos dice en Su Palabra que Él tiene planes de bien y no de mal para nosotros, para darnos un futuro y una esperanza. Así que, sea cual fuere la situación por la que estés pasando, hay esperanza para ti si te acercas a Dios. Él tiene poder para cambiar cualquier diagnóstico y cualquier situación.

Pecamos al subestimar el poder de Dios. A mi lado tengo un ejemplo de que Dios es todopoderoso, de que restaura y da vida nueva a quien no creía que su vida tenía sentido. Ahora puedo ver a ese hombre restaurado por Dios, no perfecto, porque nadie lo es, solo Jesús, pero sí a un hombre entregado a la voluntad de Dios, obediente a su llamado, un padre responsable, preocupado por el bienestar de sus hijos, y siempre presente en la vida de su esposa. Él es ese líder espiritual que yo necesito tener, y también un hombre que reconoce sus debilidades y pide perdón, porque sabe que su identidad está en Jesús y cada día cumple el rol como hombre y cabeza de este hogar. Ese esposo que anhelaba, Dios me lo ha dado, lo ha usado y lo sigue haciendo para influir grandemente en mi vida. Ver la obra de Dios en él me inspira a ser mejor cada día y a buscar más de Él.

Como esposa me siento orgullosa de Ericsson, porque sé que lo que ha pasado no ha sido fácil, ha sido perseverante y obediente a Dios, quien tiene el poder de transformarnos y hacernos una mejor persona. Pero si no queremos que lo haga, y no ponemos de nuestra parte, no sucederá. Jesús no entrará en tu corazón a la fuerza, él no quiere esclavos sino hijos. Cuando nos arrepentimos genuinamente podemos empezar a ser transformados y conocer el amor de Dios.

Lo que Dios ha hecho en la vida de Ericsson es una demostración más de Su gran poder. Cada momento me recuerda el amor y la misericordia que nuestro Padre Dios tiene por cada uno de nosotros. No hay nada imposible para Él.

HAY ESPERANZA

Deseo darte un mensaje de esperanza si está sufriendo, y aun te encuentras lejos de Dios. No importa en la situación que te encuentres, si Dios ha transformado la vida de Ericsson para ayudar a otros a conocer el amor de Dios, así mismo Dios puede hacerlo con cada persona que esté lejos de Él. Solo necesitas reconocer tu necesidad de Dios. Sus planes son poderosos.

Cada día me convenzo más de que Dios no se equivoca cuando une personas y propósitos. Me siento bendecida de ser parte de la vida de Ericsson y de todo lo que Dios está haciendo. Sé que cada una de las cosas que Dios ha puesto en su corazón para compartir serán de bendición para cada lector, y no solo ampliará su mente sino también lo acercará más a Él.

Tengo grandes expectativas de lo que Dios hará por medio de este ministerio que ha puesto en nuestras manos. Deseo que este mensaje de restauración pueda llegar a muchos hombres, mujeres, jóvenes y padres en todo el mundo.

Quiero recordarte que Jesús te ama y ha dado su vida en la cruz por ti (Romanos 5:8). En Él hallarás tu identidad y esa plenitud que anhelas alcanzar. Dios te ha creado con un propósito. Y debes saber que en Jesús hay sanidad, restauración y plenitud de gozo. No importa por lo que hayas pasado, si te arrepientes y abres tu corazón a Jesús, podrás tener una relación con Él y sanará cada herida de tu corazón. Nunca es tarde para acercarte a Él.

Oro por ti, para que puedas encontrar tu verdadera identidad en Dios, no existen varios caminos, Jesús es el único camino, la verdad y la vida, nadie viene al Padre si no es a través de Él.

CAPÍTULO 10

¿Nací homosexual?

Antes de que nacieras, Dios colocó un tesoro valioso en ti y, en cierto momento de tu vida, tendrás que encontrarlo.

¿Recuerdas que inicié en libro contándote acerca de esa pareja con la que convivía que había quebrado un vaso contra mi rostro y que terminé sangrando en el hospital, lastimado y avergonzado por todo lo vivido?

Así estaba mi vida en ese momento. Ese día me enfrenté con la muerte. Sin embargo, aunque nunca más volví a saber de él, luego de esa experiencia de tantos celos y violencia, continué viviendo como si nada hubiera sucedido. Aunque creía que era feliz con todo lo que practicaba, realmente no lo era. Era una falsa felicidad temporal, que necesitaba experimentarla continuamente para revivir sensaciones de gozo, ya que nada llenaba el vacío real de mi interior.

Los medios de comunicación suelen vender una *imagen irreal del estilo de vida homosexual.* Pero el haber formado parte de él me da la suficiente autoridad para decirte que eso **NO** es verdad.

MI TRANSFORMACIÓN

Al momento de haber tenido una maravillosa experiencia espiritual, Dios volvió a formar en mí la imagen original de hombre a quien Él creó y yo había destruido. Así fue como comencé a amar y a servir a Dios con todo mi corazón.

Luego de haberte compartido mis vivencias personales y testimoniales, ahora intentaré presentarte otra mirada de este tema. Permíteme aclarar que cuando me refiero a un homosexual según la Real Academia Española, es «una persona inclinada sexualmente hacia individuos de su mismo sexo», puede ser hombre o mujer. Por lo tanto, hablaré de la homosexualidad abarcando ambos géneros.

Para responder a la pregunta del título de este capítulo debo regresar al principio de la Creación, en el libro de Génesis, cuando Dios eligió formar al hombre a Su propia imagen. Él no estaba realizando experimentos con la Creación. Tampoco produciendo cosas imperfectas e inferiores. Dios nos creó de acuerdo a la forma que quería que vivamos, con una identidad fundada en Su imagen. Dios no puede crear y dar forma a procesos disfuncionales.

Luego de haber creado todo, leemos en el libro de Génesis, que Él dijo que «todo era BUENO». Eso significa que aquello que estaba estableciendo tenía una función impecable, correcta.

Hay quienes dicen: «Creo que Dios cometió un error cuando me creó, porque estaba destinado a ser una mujer, y no un hombre». Esta declaración hace a Dios injusto y mentiroso, cuando Él mismo ha especificado el propósito de Su Creación.

Y debido a que Dios es Santo, revela Su verdad en las cosas creadas del Universo. Dios «no puede mentir» (Tito 1:2 NBV). Él no dejó absolutamente nada por cambiar. Cada cosa creada funciona como Dios lo ordenó y debe moverse dentro de los límites que estipuló.

Así como hay leyes que rigen el universo, también hay leyes que rigen nuestra relación con Dios. Si alguien rompe las leyes establecidas por Él, entonces enfrentará las consecuencias de la autodestrucción, como ocurrió con Adán y Eva cuando quebraron las órdenes que se les había dado.

Cualquier cosa que se use fuera de Su propósito, es un abuso, y como consecuencia, será destruido. Si uso una silla como escalera fuera del proceso previsto para lo cual fue creada, potencialmente puedo romperla y lastimarme. Por lo tanto, cuando uso mi cuerpo fuera de Su propósito, estoy abusando de él y terminaré haciéndome daño.

Cuando Adán desobedeció, la muerte fue su sentencia y el pecado se convirtió en parte de la naturaleza humana. Cuando Dios dijo que lo que había creado era BUENO fue porque, nada de lo que creó debía funcionar fuera de su diseño original. Tenemos que entender que el pecado de Adán NO estaba incluido en su creación perfecta.

Debido a Su santidad, Él no trae confusión, porque «Dios es luz» (1 Juan 1:5). «Dios es veraz» (Juan 3:33). «Jesús le dijo: Yo soy el camino, y la verdad, y la vida; nadie viene al Padre, sino por mí» (Juan 14:6).

Dios no puede engañarnos. La condición pecaminosa de la carne no puede heredar el reino de Dios y muchas veces se requieren cambios físicos.

Nadie nace homosexual fruto del diseño eterno de Dios. Por lo tanto, cuando nos corremos del formato perfecto, debemos nacer de nuevo en el espíritu para comprender con una nueva luz de claridad en nuestra mirada espiritual estas verdades eternas y ser libres de toda mentira.

Los defensores de las agendas LGBT y de la ideología de género, deliberadamente ocultan información que toda persona debe de saber acerca del estilo de vida homosexual, ya que trae consigo consecuencias físicas, emocionales y eternas.

ESTADÍSTICAS PARA CONSIDERAR

El mayor índice de personas con VIH (virus de inmunodeficiencia humana), son hombres homosexuales que no se identifican como tales, pero que practican el sexo con otros hombres.

Según la *Organización de las Naciones Unidas*, las personas con mayor riesgo de contraer VIH son los homosexuales. El porcentaje es veintisiete veces mayor entre los hombres que tienen sexo con hombres.

Según un reporte del 2017 del *Departamento de Centros para el Control de Enfermedades* (CDC siglas en inglés), el mayor número de personas infectadas en los Estados Unidos, son hombres que tienen relaciones homosexuales.

- *Homosexual y bisexual*: Como dijimos anteriormente, los hombres son la población más afectada por el VIH.
- En el 2017,
- el 66 % de los homosexuales y bisexuales fueron diagnosticados con VIH
- el 82 % de ellos eran hombres.

Los hombres homosexuales y bisexuales que representaron el mayor número de diagnosticados con VIH fueron:

- negros/afroamericanos (9,807)

- hispanos/latinos (7,436)
- los blancos (6,982)

Heterosexuales: Los heterosexuales continúan siendo infectados por el VIH.

En 2017

- el 24 % de los heterosexuales fueron diagnosticados con VIH.
- el 7 % (2,829) de los *hombres heterosexuales* tiene VIH.
- el 16 % (6,341) de las *mujeres heterosexuales* fueron diagnosticadas con VIH.

Muchos de mis amigos se contagiaron con el virus por haber estado relacionados sexualmente con personas que nunca le dijeron que estaban infectadas. Hay una mentalidad destructiva la cual interpreta que, si su vida está arruinada, deben destruir la vida de otros también.

Cuando recibes vida de aquel que vida nueva te dio, lo que quieres es dar esa vida a otros.

VERDADES DENTRO DE LA COMUNIDAD

En cierta ocasión conocí a un joven que a los dieciséis años contrajo VIH y nunca se lo dijo a sus padres, quienes además tampoco sabían que era homosexual. Lamentablemente, dentro de la comunidad LGBTQ (lesbiana, gay, bisexual, transgénero y queer), hay muchos depredadores sexuales, algunos de ellos hombres mayores de 50 o 60 años que buscan jovencitos en bares y redes sociales, para tener encuentros sexuales, y no les dicen acerca de su enfermedad. Este fue el triste caso de este muchachito que tuvo un encuentro sexual con alguien que le oculto ser portador de VIH.

Cuando yo tenía alrededor de diecisiete años, mientras navegaba en sitios web de homosexuales, constantemente recibía mensajes de hombres que triplicaban mi edad, con grandes posibilidades económicas, que me ofrecían lo que quisiera económicamente a cambio de favores sexuales. Algunos de mis amigos menores de edad se envolvían con estos hombres que claramente eran depredadores sexuales.

Cabe aclarar que no solamente estamos tratando con un problema de identidad sino con algo que te puede costar la vida.

Los medios de comunicación y redes sociales venden una imagen falsa del movimiento LGBTQ, mucho de los que vemos en la televisión no representan la realidad de la comunidad homosexual. Hay situaciones reales que se mantienen en silencio. Aunque buscan igualdad, no la practican.

Al comienzo de mi ingreso a la comunidad identifiqué un alto nivel de racismo y prejuicio. Buscan la igualdad, pero al mismo tiempo, entre ellos mismos tienen un alto índice de lenguaje degradante hacia la minoría. Se representan a sí mismo y a sus propios deseos egoístas, usando algo que causa destrucción. Muchos jóvenes homosexuales sufren, y aunque son aceptados, no son felices, no importa lo que hagan, nada los satisface.

Lo que me animó a «salir del clóset», fue escuchar las historias de mis amigos, sus aventuras nocturnas como si fueran narraciones de películas románticas. Inicialmente creí que todo era diversión, que todo sería mejor si declaraba abiertamente que era homosexual. Pero una vez que lo hice, me di cuenta de que fue un grave error, que solo estaba camino a la autodestrucción, a abusar de mi cuerpo y a usarlo de una manera equivocada fuera del diseño original. Mi autoestima estaba por el piso y la única forma que me sentía valorado y deseado era teniendo encuentros frecuentes con desconocidos.

El sexo fue creado para ser disfrutado en el vínculo matrimonial entre un hombre y una mujer, biológicamente varón y hembra. Todo lo que usamos fuera de ese propósito es abusar del diseño creacional. Si el sexo entre hombres fuera parte de ese diseño de Dios entonces no formaría parte de las estadísticas dentro de los grupos de mayor riesgo.

SEXO HOMOSEXUAL

Quiero compartir una información presentada por médicos en cuanto a las relaciones homosexuales.[1] Ellos dicen lo siguiente:

A diferencia de la vagina, el ano carece de lubricación. Cuando una mujer está excitada, la vagina proporciona su propio lubricante para el sexo. El ano, sin embargo, no lo hace. Eso significa que tienes que proporcionarlo externamente. La penetración sin lubricación puede desgarrar el delicado tejido del interior del ano, lo que puede provocar dolor y sangrado.

Algunos efectos del sexo anal:

Enfermedades infecciosas: Algunas de las enfermedades que se transmiten durante las relaciones sexuales suelen ser el VIH, la gonorrea, la clamidia y el herpes. De hecho, el sexo anal es la práctica sexual más riesgosa en transmitir y contraer el VIH tanto para hombres como para mujeres. La persona

1. Publicación de Corporación Americana WebMD

receptora del sexo anal tiene trece veces más probabilidades de infectarse con el VIH que la que penetra.

Hemorroides: Al estirar y empujar el sector anal puede irritar las hemorroides existentes y es probable que cause dilatación y estiramiento de los vasos sanguíneos dentro del recto y el ano, y cause hemorroides.

Perforación del colon: Es posible que la penetración anal pueda llegar a provocar un agujero en el colon. En ese caso, la reparación quirúrgica es necesaria. Se experimenta un sangrado rectal intenso y gran dolor abdominal después del sexo anal.

El ano fue diseñado para contener las heces y está rodeado de un músculo en forma de anillo, llamado *esfínter anal*, que se tensa después de defecar. Cuando el músculo está tenso, la penetración anal puede ser dolorosa y difícil. El sexo anal repetitivo puede provocar el debilitamiento del esfínter, lo que dificulta la retención de las heces.

Otros datos

Los hombres casados con otros hombres tienen un índice de suicidio que triplica al de los hombres casados con mujeres, según indica un estudio realizado en Suecia.[1]

Los homosexuales sufren una probabilidad de padecer trastornos en el estado de ánimo que triplica a la de los heterosexuales, según una investigación en Holanda.[2]

En Canadá, las estadísticas muestran consistentemente que mueren más homosexuales por suicidio que por sida.

---

1. European Journal of Epidemiology Department of clinical Neuroscience Karolinska Institute Stockholm, Sweden.
2. Publicada por la revista Europea de Epidemiologia en colaboración con la Universidad de Estocolmo, Suecia y el departamento de epidemiologia escuela de salud pública de UCLA.

Los homosexuales tienen doble probabilidad de padecer episodios de depresión grave, en relación a los heterosexuales.

Más revelador aun es saber que cuando los homosexuales se juntan «en comunidad», en «ambiente», el efecto, en vez de ayudar, produce más daño. Un estudio realizado en el 2016 por *Men's Health Research Program,* de la Universidad de British Columbia, demostró que el índice de ansiedad o depresión, abuso de alcohol o drogas, prácticas sexuales de riesgo, o la combinación de varias de ellas es mayor en las personas que se identifican como homosexuales.

Para algunas minorías, especialmente hispanas, vivir en comunidad, con gente como ellos, está ligado a índices más bajos de ansiedad y depresión, y ayuda a estar junto a gente que instintivamente te comprende. Pero, en el caso de la comunidad LGBTQ, el efecto es el contrario. Según un estudio hecho en el 2008 por De Santis J.P. Colin J.M., Vasquez E.P, McCain G.C para la revista *American Journal of Men´s Health* titulado «La relación de los síntomas depresivos, autoestima y conductas sexuales en hombres latinos que tienen sexo con hombres», ha observado que vivir en un entorno homosexual es un factor predictor de mayores índices de prácticas sexuales de riesgo, de drogas y de exposición al VIH. De acuerdo a mi experiencia, los homosexuales más vinculados a la comunidad tienden a estar menos satisfechos con sus relaciones románticas, la vida homosexual, estadísticamente, evoca la soledad, la tristeza y la enfermedad.

¿ORGULLO GAY?

La vida del homosexual no da felicidad a medio ni a largo plazo. Después de varios estudios y experiencias personales llegué a dos conclusiones, una es terrenal y aceptable dada por la ciencia y la otra es absoluta escrita por un Dios eterno. Es por eso, amado lector que, si estás atravesando la misma experiencia homosexual que yo, me gustaría que consideres lo siguiente:

1. El resumen general de los investigadores más respetados es que la homosexualidad, como muchas otras condiciones psicológicas del hombre, se debe a una combinación de factores sociales, biológicos y psicológicos que no se pueden cambiar. Sin embargo, queda demostrado a través de cientos de historias, incluso la que yo mismo estoy relatándote, que el poder de Dios puede restaurar y transformar la vida y la historia de una persona.
2. Hemos sido creados a la imagen del Padre, hijo y Espíritu Santo. No es casualidad que tengas vida. Dios te dio identidad desde la eternidad (Salmo 139:16-17 NBLA). Solamente aquel que te la dio sabe cómo darle un giro diferente de una manera que nadie más lo sabe hacer.

Por lo tanto, te invito a que comprendas que Dios entregó a su único Hijo por ti. Si estás dispuesto a renunciar a tu vida pasada y pedir perdón por tus pecados, Él también está listo para recibirte y darte una nueva vida en abundancia. No importa qué tormenta hayas atravesado o cuántas situaciones difíciles hayas vivido. Debes saber que hay un Dios que te ama con amor eterno y cuando su mano de amor te toca, nunca más vuelves a ser el mismo.

CAPÍTULO 11

Los científicos dicen...

«Luego Jesús dijo a sus discípulos: "Si alguno de ustedes quiere ser mi seguidor, debe abandonar su propio camino, tomar su cruz y seguirme. Si tratas de aferrarte a tu vida, la perderás. Pero si abandonas tu vida por mi causa, la salvarás"»

—Mateo 16: 24-25 NTV

Al estudiar algunos científicos que hacen referencia a la homosexualidad, he decidido incluir en este capítulo algunas citas de investigadores para comparar los diferentes puntos de vista y ayudarte a descubrir que muchas personalidades de distintas áreas de la comunidad han buscado el origen del tema.

Dr. Dean Hamer,[1] investigador del «gen gay», declara ser parte de esta comunidad, y expresa lo siguiente: «Los genes son como un hardware (...) los datos de las experiencias de la vida se procesan a través del software sexual en los circuitos de la identidad. Sospecho que el software sexual es una mezcla de genes y del entorno, de la misma manera que el software

1. Dr. Dean Hamer es un genetista estadounidense. Es conocido por su investigación sobre el papel de la genética en la orientación sexual y por una serie de libros y documentales populares.

de una computadora es una mezcla de lo que está instalado en la fábrica y lo que se agrega de parte del usuario».[1]

Cuando le preguntaron al Dr. Hamer si la homosexualidad estaba arraigada únicamente a la biología, respondió: «Absolutamente no. A través de un estudio realizado en gemelos, sabemos que la mitad o más de la variabilidad en la orientación sexual no se hereda. Nuestros estudios intentan identificar los factores genéticos... no negar los factores psicosociales».[2]

El psiquiatra Jeffrey Satinover, M.D. expuso lo siguiente: «Al igual que en todos los estados complejos de comportamientos mentales, la homosexualidad no es exclusivamente biológica ni exclusivamente psicológica, sino que deriva de una mezcla difícil de cuantificar de factores genéticos, influencias intrauterinas... medioambiente postnatal (como padres, hermanos y culturas), y una serie compleja de opciones reforzadas repetidamente que ocurren en fases críticas del desarrollo.»[3]

Entre las conclusiones de Jeffrey Satinover, declaró lo siguiente: «Hay un componente genético en la homosexualidad, pero "componente" es solo una forma sencilla de indicar asociaciones y vínculos genéticos. Vinculación "y" asociación "no significan" causalidad».

«No hay evidencia que demuestre que la homosexualidad sea un resultado que se determine desde la genética, y ninguna de las investigaciones en sí mismas afirman que existe. Solo la prensa y ciertos investigadores lo hacen, cuando hablan en público al público.»[4]

---

1. *The Science of Desire*, P. Copeland y D. Hamer (1994) (Nueva York: Simon y Schuster)
2. *Nueva evidencia de un "gen gay"*, por Anastasia Toufexis, Time, 13 de noviembre de 1995, pág. 95.
3. *La homosexualidad y la política de la verdad*, por J. Satinover, M.D., (1996) (Grand Rapids, MI: Baker Books).
4. *The Journal of Human Sexuality*, Jeffrey Satinover, M.D., 1996, p.8.

La prueba de una base genética o biológica que explique la orientación homosexual, no es concluyente. Es más, desde el comienzo de los 90's, han existido muchos estudios que intentan establecer una causa genética para la homosexualidad, pero no han demostrado ser válidos o repetibles, ya que la evidencia genérica y biológica son los dos requisitos importantes para que los resultados de los estudios sean aceptados como un hecho en la comunidad científica.

LO QUE NO QUIEREN QUE SEPAMOS

A continuación, expondré algunos de los comentarios que los medios y los defensores LGBTQ no comparten.

Del estudio del hipotálamo (cerebro) de 1991, Simon LeVay, un neurocientífico británico-estadounidense, que se autoproclama homosexual, dijo: «Es importante subrayar lo que no encontré. No probé que la homosexualidad sea genética, ni hallé una causa genética para ser homosexual. No demostré que los hombres homosexuales nacen de esa manera, ese es el error más común que cometen las personas al interpretar mi trabajo. Tampoco localicé un centro homosexual en el cerebro».

A partir del *estudio* de los Gemelos realizado por el Richard Pillard[1] en 1991, el médico homosexual, admite: «Aunque la homosexualidad masculina y femenina parece ser al menos algo hereditario, el medioambiente también debe tener una importancia considerable en su origen».

---

1. El Dr. Richard Colestock Pillard es profesor de psiquiatría en la Facultad de Medicina de la Universidad de Boston. Fue el primer psiquiatra abiertamente gay en los Estados Unidos.

En el *Estudio de cromosomas X* de 1993, el Dr. Dean Hamer, dijo: «Los factores ambientales juegan un papel importante. No hay un solo gen maestro que haga que las personas sean homosexuales. No creo que alguna vez podamos predecir quién será gay».

Si bien es cierto que muchos creen que las personas «nacen homosexuales» y que es imposible cambiar. Lo que rara vez escuchamos es que existe una sorprendente minoría de homosexuales que reconocen que la orientación sexual es, de hecho, flexible.

Por ejemplo, Kate Kendell, directora del *Centro Nacional para los Derechos de las Lesbianas*, argumentó en la revista homosexual *Frontiers*, que la orientación sexual no es fija. La columnista y psicoterapeuta lesbiana, Jackie Black, ha dicho que la sexualidad no es estática. Además, la autora lesbiana Camille Paglia sostiene que la homosexualidad no es normal y que es una adaptación, no un rasgo que se forma antes de nacer.

Después de leer varios estudios, todos llegan a la conclusión de que, en realidad, nadie sabe a ciencia cierta qué causa el desarrollo de una identidad homosexual. Claramente, los defensores de la homosexualidad no están presentando todas las evidencias al insistir en que las personas «nacen homosexuales» y no pueden cambiar. Además, hacen todo lo posible para pintar a la homosexualidad como una cualidad imposible de modificar.

Al mismo tiempo, tratan de callar a toda persona que se oponga a su agenda o cuya opinión no esté de acuerdo con la de ellos, crean leyes con el fin de hacer casi imposible que una persona busque la ayuda necesaria para cambiar su orientación sexual.

Quiero dejar en claro que tal vez, como sociedad, algunos han olvidado que existe un solo género: el humano. Y coexisten solo dos sexos: masculino y femenino. Aunque siempre ha existido la «disfunción emocional». Y es eso exactamente lo que es la homosexualidad.

Para la ideología de género antes había solo cuatro representaciones de género: lesbianas, gay, bisexual y transexuales. Ahora han incorporado muchísimos géneros más, y no solo promueven el cambio de ser hombre o mujer, sino que hacen referencia a 112 variedades diferentes.

Por ejemplo:

Genderblank: Un género que solo puede ser descrito como un espacio en blanco. Cuando se cuestiona el género, todo lo que viene a la mente es un espacio en blanco, sin resolución.

Cavusgender: Para personas con depresión. Cuando sientes que eres de un género al estar deprimido, y de otro, cuando no lo estás.

Hydrogender: Es un género fluido que comparte cualidades con el agua.

CAMBIOS INTERNACIONALES

El Movimiento de la ideología de género está logrando cambios a nivel internacional que antes eran vistos como una locura, ahora pretenden normalizarlas e imponerlas sobre toda la sociedad. Están logrando ingresar al sistema educativo. Comenzaron a proclamar que quienes no permiten ese tipo de pensamientos y libertades son genocidas que oprimen y atacan a personas que necesitan ser protegidas. A lo largo de la historia siempre han existido individuos con disfunciones emocionales, pero como tales, pueden ser tratadas y curadas.

El movimiento de ideología de género con sus campañas a nivel de música, arte, cultura y política, se entrometieron abruptamente en los medios de comunicación como la televisión, el cine, diversas actividades artísticas y poco a poco influenciaron con un cambio cultural donde «todo vale», y es aceptable decir «haz lo que tú quieras con tu cuerpo, porque es tuyo».

Todo el que se oponga a este pensamiento es un retrógrado, un conservador, un religioso, un moralista, por lo tanto, hay que acabar con todos ellos, porque son los malos. Como resultado, han logrado dividir la sociedad, porque el enemigo sabe que «toda casa dividida no puede prevalecer». Y como toda política que busca el poder, dividen los buenos de los malos, al hombre de la mujer, a la izquierda de la derecha, y por último crearon leyes que dividen a los hijos de los padres. Por ejemplo, las terapias o consejerías de conversión.

Eso nos trae al pensamiento actual en la comunidad científica y la ciencia, que dicen que la homosexualidad es probablemente causada por una interacción compleja de factores psicosociales, ambientales y biológicos. Y los dos principales grupos de profesionales psiquiátricos y psicológicos nacionales coinciden en que, hasta el momento, no hay estudios concluyentes que respalden ninguna causa biológica o genética específica para la homosexualidad. Lo que si existe es amplia información de que la homosexualidad es una decisión alimentada por el deseo.

Un estudio publicado en *The Family Research Council* dice que: El porcentaje de cambio de homosexualidad a heterosexualidad osciló entre el 13 % y el 53 %, mientras que el porcentaje que cambió de heterosexualidad a homosexualidad varió solo del 1 % al 12 %. Esto sugiere que la heterosexualidad es en gran medida estable, pero la homosexualidad, no lo es.

En una encuesta con personas atraídas por su mismo sexo el 38 % de los hombres y el 53 % de las mujeres «cambiaron a la heterosexualidad» en solo un período de seis años. El concepto de que la «orientación sexual» es multifacética, involucrando una combinación de atracciones, comportamientos, e identidad personal. Cambios en cualquiera de estos elementos que son llamados «tener fluidez sexual» y falta de «estabilidad» o «exclusividad» entre ellos, representa la evidencia de que la orientación sexual puede cambiar.

Muchos de los logros que ha alcanzado el movimiento homosexual en la opinión pública, en la legislación y en la ley, se han basado en la afirmación de que la «orientación sexual» es una característica personal que es «inmutable» (no capaz o susceptible de cambio).

Una razón por la cual muchas personas del público general pueden no ser conscientes de la extensa literatura sobre la posibilidad de cambio de orientación sexual es que «cambio» no es la palabra que generalmente se usa en el mundo de la literatura académica. Sin embargo, el término «fluidez sexual» se usa a menudo. Tal vez la académica más prominente en el campo, la profesora Lisa M. Diamond de la *Universidad de Utah* (que se identifica como lesbiana), incluso escribió un libro completo acerca de sus estudios sobre la sexualidad de las mujeres titulado *Fluidez sexual.* Diamond y su colega, un profesor de derecho, Clifford J. Rosky, han escrito la crítica reciente más completa de la «inmutabilidad»[1].

---

1. Peter Sprigg, *Is Homosexuality 'Immutable?* Justice Kennedy's Shaky Bridge to Redefining Marriage, Family Research Council, August 5, 2015, accessed March 25, 2019

En resumen, no existe ni existirá absolutamente ninguna prueba científica o de ADN, que nos diga si una persona es homosexual o bisexual. Definitivamente nadie «fue creado homosexual». Está claro que la orientación sexual es, en esencia, una cuestión de cómo una persona se define a sí misma, y nada tiene que ver con la biología o los genes.

PECADOS SEXUALES

Después de este análisis podemos arribar a la conclusión de que la homosexualidad es muy parecida a otros pecados sexuales o tentaciones con las que luchan las personas. Dios trabaja con nosotros como individuos. No hay una «fórmula» para el proceso de cambio, ni hay una «libertad instantánea» (aunque con algunos pueda suceder). No es sorprendente que el camino de cada persona hacia la libertad sea diferente.

La buena noticia es que las atracciones y las tentaciones homosexuales cambian, se disipan e incluso para muchos desaparecen a medida que cooperan con Dios en el proceso de llegar a ser más como Jesús, con la ayuda cercana del Espíritu Santo como consejero.

Sin embargo, hay varios aspectos de este proceso de cambio que será diferente para cada uno, sin garantía de que las atracciones homosexuales se transformen exclusivamente en atracciones heterosexuales. Esta realidad no debe sorprender a los cristianos, dado que las Escrituras enseñan que todos los creyentes, aquellos que inician el proceso de ser más como Jesús, continuarán experimentando algunas luchas y tentaciones a lo largo de su vida.

La batalla continua entre la naturaleza del pecado descripta como «el hombre viejo» (en referencia a los viejos patrones de pensamiento, sentimiento y comportamiento fuera de Dios) y «el hombre nuevo» (para los que estamos en Cristo, nuestra vida en curso, cuando nos conectamos con Dios a través de su Espíritu).

SOCIEDADES DE INFLUENCIA

Hasta aquí hemos leído acerca de profesionales que a través de diferentes redes sociales y programas de televisión quieren afirmar que algunas personas nacen homosexuales. Pero, nadie pudo confirmarlo científicamente. Hoy en día es una mentira creada para fundamentar lo que ellos quieren creer y así destruir y silenciar a quienes piensen diferente.

Es ahí donde debo asumir mi responsabilidad y decidir en qué tipo de sociedad quiero vivir, ya que hay tres opciones con relación a lo absoluto:

- **Teonomía**: Teo = Dios / Nomía = Ley

  En esta agrupación social, Dios dicta cómo vivir la vida, y su ley permanece enraizada en nuestro corazón. El término alude a la comprensión de lo divino y al elemento compositivo que refiere a un conjunto de normas.

- **Heteronomía**: Heteros = otro / Nomía = ley

  En esta agrupación social, otros dictan y dirigen el comportamiento. El líder que está más arriba, establece cómo y cuándo se hacen las cosas. De acuerdo a la RAE (Real

Academia Española) es la «condición de la voluntad que se rige por imperativos que están fuera de ella misma».

- **Autonomía**: Auto = Yo / Nomía = Ley

  En esta agrupación social, la persona dicta las cosas que hay que hacer y las que no va a hacer. Esa misma persona es la que decide con qué clase de moral va a vivir. «Es la capacidad de los sujetos de derecho para establecer reglas de conducta para sí mismos y en sus relaciones con los demás dentro de los límites que la ley señala» (RAE).

Se supone que vivimos en una sociedad *autónoma*, pero si es así, entonces porqué existe un grupo que quiere dictaminar qué es lo que el resto de la sociedad debe de creer. Ahora, si no estás de acuerdo conmigo, entonces saltarás a la *heteronomía,* quienes dictarán lo que debes creer. Esa es la mentalidad de las personas homosexuales y sus defensores que quieren dictar «cuándo y cómo» se hacen las cosas.

LEYES DE DIOS Y LEYES DE LOS HOMBRES

Las consecuencias siempre están sujetas a las decisiones. Cuando Caín y Abel presentaron sus ofrendas, Dios vio con agrado a Abel y a su ofrecimiento. No así a Caín y a su ofrenda. Entonces Caín se enojó, y Dios le dijo: «¿Por qué estás tan enojado? ¿Por qué andas cabizbajo? Si hicieras lo bueno, podrías andar con la frente en alto. Pero, si haces lo malo, el pecado te acecha, como una fiera lista para atraparte. No obstante, tú puedes dominarlo» (Génesis 4:6-7 NVI).

Las leyes de los hombres pueden ser manipuladas, cambiadas y ajustadas; pero las leyes establecidas por Dios, no cambian. No importa lo que digamos o intentemos hacer, lo que fue establecido por Dios no se puede cambiar. Podemos tomar nuestras propias decisiones, pero las consecuencias también serán de acuerdo a nuestras elecciones. El hecho de que algo sea legal no significa que sea moral.

A menudo los problemas del alma nos impulsan al deseo de escapar de nuestra vida hacia otra, cuando en verdad esos problemas deben de abordarse, y resolverse. Si solo nos enfocamos en lo exterior, como a menudo lo hace la gente, pero dejamos nuestros problemas más importantes dentro del alma, sin resolver, viviremos girando en un círculo vicioso del cual, aunque lo intentemos, nunca podremos salir. Siempre habrá algo que te mantendrá atado a las conductas persistentemente.

Lo que debemos resolver, en lugar de ignorarlo, es la raíz del problema. Entonces la pregunta es: ¿Por qué hay homosexuales? Aunque ya hemos hablado y respondido varios de estos temas, en verdad sabemos que el problema no es psicológico sino espiritual, y para poder solucionarlo es necesario ir a la raíz. Gastamos todo nuestro tiempo, esfuerzo y dinero tratando de solucionar problemas acerca de la homosexualidad en el plano físico, cuando la situación no comenzó ahí.

Mientras cada día observamos a los activistas de género que quieren hacernos creer que las personas «nacen homosexuales» y que la orientación sexual es una característica inmutable, como la raza o el color de ojos, que no se puede cambiar. Pero esto no es verdad, la genética no se puede cambiar, sin embargo, los sentimientos que formaron la raíz emocional en la vida de un hombre o una mujer que los llevaron a cuestionar su sexualidad, sí pueden cambiar, y de hecho cambian constantemente. Debemos coincidir que los problemas físicos no se pueden solucionar con lo físico, cuando la raíz del problema es espiritual.

Por lo tanto, la única forma de solucionar algo en lo físico, que comenzó en lo espiritual, será desde su lugar de origen: lo espiritual. Satanás, el enemigo de nuestra alma, no quiere que sepas eso, porque pretende que vivas en el mundo donde solo operan los cinco sentidos físicos. La Biblia lo llama «el hombre natural», que solo opera en los sentidos naturales y que solo puede ver parcialmente.

> *«Pero el hombre natural no percibe las cosas que son del Espíritu de Dios, porque para él son locura, y no las puede entender, porque se han de discernir espiritualmente» (1 Corintios 2:14).*

Si quieres arreglar lo visible, lo físico, entonces primero tienes que solucionar lo invisible, lo espiritual, para luego ver en lo visible los resultados que esperas. Muchas personas fallan al solucionar un problema por falta de discernimiento y conocimiento de lo espiritual. Y el resultado solo es temporal, ya que luego vuelven al mismo lugar del error, porque no han llegado a la raíz. Disfrazaron el cambio, pero secretamente siguen teniendo el mismo problema. En la mayoría de los casos no ven los resultados en lo natural porque no se enfocan en cuál es la causa del problema.

Hay sanidad para la verdad distorsionada cuando se enfrenta desde el lugar correcto.

CAPÍTULO 12

Espíritus que gobiernan la sexualidad

Luego de haber conocido a Cristo e iniciar el proceso de transformación en mi sexualidad, paralelamente sucedía otra transformación espiritual. Cuando más tiempo pasaba con Dios, más claridad tenía acerca de la dimensión espiritual del mal y el poder que tiene sobre el mundo homosexual.

A medida que mi rebeldía juvenil crecía y abría nuevas puertas hacia fuera de los límites divinos, diferentes espíritus se apoderaban de mí. Estos llegaron en orden, uno tras otro. Contrariamente al pensamiento de muchos, Satanás es un ser organizado que trabaja de manera premeditada, aunque te ataque con un espíritu de desorden.

Al conocer la raíz de las relaciones homosexuales, desde el principio descubrimos una connotación negativa y destructiva para quienes la practican. Ciudades como Babilonia, Sodoma y Gomorra, experimentaron juicio de parte de Dios. Nínive estaba a punto de ser destruida, pero, sus habitantes tomaron la mejor decisión: arrepentirse. A causa de ello, la gracia de Dios se extendió sobre ella, y fue perdonada.

Satanás desarrolló un sistema de control difícil de detectar para el hombre natural. Pero me enfocaré en siete principados específicos que controlan a aquellos que practican la homosexualidad o cualquier tipo de inmoralidad sexual, ya que te vuelven vulnerable.

SIETE PRINCIPADOS DEL MAL

¿Cómo identificar que te encuentras bajo un ataque espiritual influenciado hacia la práctica homosexual? ¿Por qué se manifiestan estos espíritus?

Los siete principados que se desatan sobre la homosexualidad son:

1. Espíritu de depresión

Una de las primeras acciones hacia las que Satanás avanza, es atentando contra tu identidad. A través de ella llegará un espíritu de depresión que produce incapacidad emocional, desconexión de todo lo que te rodea, te hace sentir que estás solo y que nadie te entiende porque te llena de culpa, temor e inseguridad.

Su propósito es ahogar toda esperanza que puede haber en ti. Él desea asfixiar el propósito que tiene Dios para tu vida. El enemigo pretende que te encierres en un mundo sin esperanza, que pierdas el deseo de vivir y que finalmente atentes contra tu propia vida.

A diferencia de Dios el Creador, que toma de su tiempo para escuchar a Elías, que se siente deprimido, y permite que se desahogue de todo aquello que llevaba en su corazón. Luego le da una asignación, un propósito, una razón para salir de donde estaba y vivir de acuerdo a ella (1 Reyes 19:1-17).

2. Espíritu de rebeldía

El espíritu de rebeldía es la potestad que te guía a elevarte por encima de toda autoridad, ya sean tus padres o cualquier persona que tenga potestad espiritual sobre tu vida. Comenzará una resistencia y una tensión en cuanto a los límites establecidos, y te influenciará animándote a quebrar reglas y a establecer tu vida de acuerdo a tus pensamientos y a tu manera de ser.

Cuando el espíritu de rebeldía entró en mí, lógicamente tomó posición y autoridad de mis acciones. Ya no me importaba lo que mis padres pensaran y mucho menos los consejos de los pastores o de otras autoridades religiosas. Deseaba que todos supieran que no podían gobernarme. Mi forma inicial de expresar la rebeldía fue perforándome el lóbulo de las orejas para usar aretes, y luego haciéndome mi primer tatuaje, símbolo de rebelión y de libertad. Me hacía sentir atractivo y en control sobre mi cuerpo. Realmente no me importaba lo que la gente pensara de mí ni de mi actitud.

Ante mi rebeldía, nuevamente tuve otra pelea con mi madre. En su ira, me dio una bofetada y me enojé tanto que le grité: «¡Nunca más me vuelva a poner una mano encima! ¡Así soy yo! ¡¿Y qué?!».

En ese momento decidí que la única persona responsable sobre mi vida era yo. Me prometí a mí mismo que nunca más le permitiría a nadie que me golpeara ni que tomara autoridad sobre mi vida.

Esa noche salí a caminar y cuando regresé a casa, mi madre había puesto todas mis cosas en bolsas de basura, y me dijo: «Ericsson, quiero que te vayas de aquí. No te quiero ver más. Eres un mal agradecido». El resultado de este espíritu de rebeldía dirigiendo mi vida, fue la división familiar.

3. Espíritu de división

Luego de haber logrado su asignación, el espíritu de rebeldía permite que ingrese y se active el tercer espíritu: el de división. Satanás sabe aplicar los principios bíblicos, pero, de manera contraria. Jesús dijo: «Si una casa está dividida contra sí misma, tal casa no puede permanecer» (Marcos 3:25). Eso es exactamente lo que busca el espíritu de división. De repente, en tu casa comienzan a surgir pleitos y esas discusiones se mantienen. Se inician conversaciones que terminan en desacuerdos. Si un hijo les confiesa sus inclinaciones sexuales a sus padres, pronto notarás que el matrimonio comenzará a tener desacuerdos y discusiones. Todo esto es parte de la ola de ataques que surgirá para que la familia se divida, se distraiga del verdadero objetivo, y te llevará a refugiarte en ti mismo.

Cuando estás bajo ataque, el espíritu de división llega para alejarte de tu familia, mucho más si no aceptan tu condición ni el estilo de vida que has decidido llevar.

El objetivo de este espíritu es dejarte totalmente solo y llevarte a un lugar donde pueda trabajar con tu mente. Te unirá a personas que alimenten aún más los pensamientos a su favor.

Aquella noche, cuando mi madre me echó de casa, el único lugar para quedarme era la casa de mi amiga lesbiana. Ese era el lugar ideal para que el enemigo trabaje en mi mente. Mi amiga constantemente me decía: «Tienes que hacerte a la idea de que perdiste a tu familia. Ellos no te aman. Tú eres homosexual. Tarde o temprano tendrán que aceptarte. Además, pronto cumplirás dieciocho años y podrás hacer lo que quieras. ¡Ellos no podrán decirte qué hacer!».

4. Espíritu de orgullo

El siguiente espíritu es muy peligroso y se abrirá paso con todas sus fuerzas. Este es el espíritu de orgullo, que endurece el corazón y te influencia para que te sientas superior a los demás. Sin importar quién lo esté diciendo, su opinión no vale, porque tú sabes más que ellos.

Este espíritu hará que te resistas, ya que todo lo percibes como sumisión y se vuelve desafiante tratar de razonar. Será casi imposible. Te centras en tu propia imagen, que se vuelve tu todo. Te cierras en ti mismo.

Después de tres semanas de no regresar a la casa de mis padres, mi abuelita me llamó por teléfono para preguntarme cómo estaba y pedirme que, por favor, regresara a mi casa. Me dijo que mi mamá estaba enferma, que me extrañaba y que quería que volviera. A lo que respondí: «Si en verdad quiere que regrese, entonces que me llame ella». Horas después, mi mamá me llamó y finalmente regresé.

A pesar de ello, tristemente la situación familiar no mejoraba. Cada vez que conversábamos, siempre terminábamos en una discusión acerca del por qué era homosexual. Me ofendían o yo mal interpretaba lo que me decían, hasta sentir que me insultaban. Siempre me hablaban desde el rencor, y al mismo tiempo se sentían incapaces por no poder hacer nada al respecto. Dentro de su corazón, deseaban que todo cambiara de la noche a la mañana. Yo sabía cuánto les preocupaba lo que la gente pensara de mí.

Mis padres se sentían culpables y se preguntaban en qué habían fallado, en qué momento de mi vida había ocurrido esto, y cómo no se habían dado cuenta. A decir verdad, creo que siempre lo habían notado, pero su amor incondicional y sus sentimientos encontrados, cegaron sus ojos para no ver la realidad. Creían que, ignorándolo, todo pasaría.

Para ese entonces, ya cuatro espíritus demoníacos estaban activos en mi vida, manifestándose en mis pensamientos, mi lenguaje y mis acciones. Pero el espíritu de orgullo rápidamente incluye al de egocentrismo, puesto que operan en conjunto.

5. Espíritu de egocentrismo

El espíritu de egocentrismo que me poseía era tan evidente que se notaba con solo verme. Solo pensaba en mí, sin tener en cuenta los sentimientos de los demás. En realidad, no me importaba nadie. El único importante era yo.

Pronto comencé a «chatear» con otros jóvenes homosexuales, a leer historias de aquellos que habían expresado abiertamente su sexualidad a sus padres. Deseaba conversar con ellos y conocerlos porque sentía que entenderían lo que estaba viviendo.

Poco a poco, y luego de conocer otras historias, empecé a sentirme orgulloso de la persona en la que había logrado convertirme. No percibía en mi interior ninguna razón por la cual estar avergonzado. Había encontrado mi verdadera identidad, y eso era un gran valor para mí. En ese pensamiento encontré tranquilidad. Ya no debía ocultarme, la verdad era visible.

Además, todas las personas con las que conversaba me decían que era muy valiente por haber declarado abiertamente mi homosexualidad. Y aunque no me conocían, me decían «cuán orgullosos estaban de mí». Ellos lograban decir frases que en verdad anhelaba haber escuchado de mis padres, pero nunca me lo habían dicho. Estaba experimentando algo nuevo que me hacía sentir «orgulloso de mí mismo». Como resultado de mi egocentrismo me volví totalmente materialista.

6. Espíritu de materialismo

La identidad del homosexual es influenciada a través de las voces del ego y del materialismo. Debía conseguir tener aquello que aumentara mi ego y me hiciera sentir bien.

Bajo la influencia del espíritu de materialismo que ataca al homosexual, solo me interesaba tener lo que deseaba porque me hacía sentir bien, sin importar el costo de cómo obtenerlo. Me determiné a tener todo lo que quisiera. Sin entonces notarlo, pretendía darle valor a mi identidad a través de lo que poseía. Si había algo que creía que me hacía falta, que me completaría, lo conseguía. Creía que las cosas materiales llenarían el vacío que había en mi interior.

Todo giraba alrededor del yo, de mis deseos de adquirir, de que se notara un cambio en mi estilo, de comprar artículos de gran valor que me hicieran sentir importante. En la ausencia de una relación con Dios, el materialismo pretende llenar el vacío, pero la manipulación, el siguiente espíritu, busca obtener lo que desea, sin importar cómo, pero usará tus debilidades en contra de ti mismo.

7. Espíritu de manipulación

Por último, llega el espíritu de manipulación, especialmente la de aquellos que decían ser «mis amigos». Sus enseñanzas y comentarios me manipulaban de tal manera que llegaban a convencerme de que Dios «me había creado homosexual». «Tenía que haber sido Dios, sino quién más...», eso me decían. Y nadie podía darle una respuesta a mis emociones y sentimientos.

Cuando decidí entregarme por completo a mi deseo y comenzar a ejercer mi voluntad, removí totalmente a Dios de mi vida. Entonces este último espíritu, el de manipulación, me guio para tornar todas las cosas a mi favor. Sabía qué era lo que mis padres querían escuchar, y sin ningún temor, mentía y manipulaba su amor por mí.

Constantemente construía historias muy elaboradas para satisfacer mis propios anhelos. En mi interior sentía un fuerte deseo de venganza hacia mis padres por no haberme aceptado. Lo único que me importaba era lo que YO quería, lo que YO sentía, lo que a MÍ me gustaba. Todos tenían que aceptarlo, ¡les gustara o no! Esa era mi posición.

DESORDEN EMOCIONAL Y ESPIRITUAL

Debes saber que los demonios son incansables en su persecución, además de ser extremadamente inteligentes. Sin embargo, el único poder que puede detenerlos es el del Espíritu Santo y Su Palabra. Estas son las únicas armas radicales, capaces de destruir todos sus argumentos. Para asegurarnos que no nos afecten, debemos eliminar todo lo que nos está influenciando. Pues, cuando los atributos de Dios son removidos, nuestra vida se vuelve desordenada y vacía.

Cada vez que tienes un encuentro sexual con una persona de tu mismo sexo, creas una atadura emocional. Los demonios te controlan a través de un deseo o de una dependencia que pretende instalarse en ti. Te sientes atado y por supuesto, no te va a soltar sin la intervención sobrenatural del Espíritu Santo.

El dominio interior que el enemigo ejerce sobre tu vida busca satisfacer constantemente un deseo, pero nunca es saciado hasta que se vuelve una adicción. Así va escalando.

Primero es una atadura que abre una puerta para que los demonios te posean. Es ahí cuando comienzan a controlar tus decisiones, y no te das cuenta, porque has vivido de esta forma por mucho tiempo.

Lo que más deseaban mis padres era que yo cambiara. Pero les mentía sin ningún remordimiento. Manipulaba sus emociones para poder conseguir dinero de ellos. Mi transformación hacia el mal fue radical e irreconocible. Hacía cosas que nunca me imaginé capaz de realizar, todo con tal de obtener lo que yo quería.

La asignación de estos espíritus es ganar control total de la mente de una persona y así poder operar en lo natural, influenciando líderes, familias y sistemas sociales enteros.

Ningún espíritu puede operar en lo natural por sí mismo. Necesita un cuerpo por el cual manifestar su naturaleza. El adversario no se presentó frente a Eva en forma espiritual. Él usó el cuerpo de la serpiente para manifestar su naturaleza engañosa.

En varias ocasiones he escuchado de jóvenes que le han confesado a sus padres o pastores de su atracción hacia personas de su mismo sexo, y la respuesta naturalmente ha sido pasarlos por intensas sesiones de liberación, donde con buenas intenciones tratan de expulsar estos demonios de su vida. Pero luego de estos intensos momentos de oración, la persona continúa experimentando deseos sexuales y pensamientos de atracción hacia su mismo sexo. Al ver que continúan con la misma lucha, esto les causa frustración, decepción y descontento hacia Dios, porque no los sanó ni liberó de su condición.

¿ES UNA POSESIÓN DEMONÍACA?

Todo comienza con una fuerte influencia espiritual a través de pensamientos y sueños. No es lo mismo estar bajo posesión demoníaca que estar influenciado demoniacamente. La práctica continua de cualquier actividad sexual inmoral te vuelve vulnerable y es una situación peligrosa que se puede tornar una posesión demoníaca. Una cosa es pecar y otra es persistir en el pecado.

En una ocasión, un joven se me acercó y me contó que llevaba varias semanas soñando que tenía relaciones sexuales con un hombre. Entonces se despertaba perturbado y no sabía qué hacer. Estaba desesperado y sentía temor por las emociones que estos sueños estaban despertando en él. Conversamos por mucho tiempo y descubrimos que había cosas ocultas de su pasado que habían activado este ataque en su contra, incluyendo un intento de abuso sexual de parte de un amigo de su madre.

Ayunamos y oramos juntos, y nuevamente tuvo este sueño, pero en esta ocasión fue diferente. Una vez más el mismo ser se presentó en sueños e intentó seducirlo sexualmente, pero esta vez sintió que el poder y la fuerza de Dios lo fortalecían, lo tomó y lo lanzó fuera de su casa. De esta manera fue libre de este ataque y de los sueños que estaban desviando su identidad. La Biblia nos enseña que Dios utiliza los sueños para corregir, guiarnos y darnos paz, pero de la misma forma, Satanás, el gran imitador, usa los sueños para incitarnos al pecado y robarnos la paz.

A raíz de nuestras prácticas o pecados cometidos contra nosotros hay áreas específicas de nuestra vida donde el enemigo ha establecido ataduras. Allí hay espíritus alojados que tienen una fuerte influencia sobre nuestras acciones.

Por ejemplo, cuando tenía alrededor de unos diez años, unos primos me mostraron películas pornográficas y uno de ellos se tocó sus genitales frente a mí. En ese momento comenzó en mí un deseo sexual incomprensible. Ese acto abrió una puerta a espíritus de inmoralidad sexual que comenzaron a influenciarme hasta ser adicto a la pornografía y como resultado, a la masturbación. Esto era algo constante. Cada mañana, al despertar, lo primero que hacía era ver mi teléfono y buscar esas imágenes que luego me llevaban a ver videos y así estimular mi mente hasta el punto de auto complacerme.

Las influencias del mal son poderosas y es humanamente imposible derrotarlas sin la intervención divina del eterno y verdadero Dios. Es por ello que, si no permanecemos en Cristo, somos marionetas de los demonios. Estas potestades han seguido activas a través de los tiempos y aun hoy están influenciando a hombres, mujeres y niños.

Jesús nos dijo: «El que permanece en mí, como yo en él, dará mucho fruto; separados de mí no pueden ustedes hacer nada» (Juan 5:15).

Atrévete a cambiar tu manera de pensar, porque cuando cambien tus pensamientos, cambiará tu corazón.

CAPÍTULO 13

Tu verdadera identidad

La homosexualidad es uno de los ataques mejor orquestado por Satanás y sus demonios, ya que su meta es robar tu verdadera identidad sabiendo que sin ella no puedes llegar a tu Creador. Por lo tanto, si pierdes tu identidad, pierdes tu propósito y frustras el potencial de toda tu herencia. Esto es lo peor que se pierde, porque fuera de tu propósito no podrás usar tu potencial.

La intención de Dios para nuestra vida personal y espiritual es: «Amado, yo deseo que tú seas prosperado en todas las cosas, y que tengas salud, así como prospera tu alma. Pues mucho me regocijé cuando vinieron los hermanos y dieron testimonio de tu verdad, de cómo andas en la verdad. No tengo yo mayor gozo que éste, el oír que mis hijos andan en la verdad» (3 Juan 1:2-4).

Encontrar el porqué de tu existencia, es hallar tu propósito. En la tierra sin propósito nuestra vida es un caos, si logras alinear con Dios a través de su Palabra estas tres cosas que detallo a continuación, y establecer una relación íntima con el Espíritu Santo, podrás experimentar un cambio total en tu vida y paz en tu corazón.

- Debes alinear en tu alma:
- Tus sentimientos
- Tus pensamientos
- Tu voluntad

Cuando la voluntad se contamina nos desconecta del espíritu. En tu Espíritu se encuentra:

- Tu identidad
- Tu propósito
- Tu potencial

Cuando mi espíritu se muere por una mentira, mi potencial se apaga. La única manera de que tu espíritu vuelva a conectarse con tu propósito es a través de tu voluntad. Vivimos en una sociedad donde es normal que nos autodestruyamos, nos desviemos fuera de nuestro propósito y vivamos con una identidad incorrecta. Lo peor es que, lo vemos tan normal que nos hemos vuelto insensibles ante algo tan profundo e importante para tu vida en la tierra.

¿CUÁL ES TU IMAGEN?

Una persona fue a Jesús y le preguntó si estaba bien pagarle impuestos al Cesar. En ese momento Jesús le mostró una moneda y le preguntó: «¿De quién es esta imagen, y la inscripción?». A lo que el hombre respondió: «es la imagen de Cesar». Entonces Jesús le dijo: «Dad, pues, a César lo que es de César, y a Dios lo que es de Dios» (Mateo 22:15-21).

Ahora, la pregunta que deberíamos de hacer es: ¿Qué es lo que le pertenece a Dios? ¿Cuál imagen es la que tú tienes? Porque de acuerdo con la imagen que fue tallada en ti, identifica a quien perteneces. Si esa imagen no tiene un fundamento espiritual correcto, esa misma imagen destruirá tu propia identidad.

La Palabra nos dice que fuimos creados a imagen de Dios: *«Entonces dijo Dios: Hagamos al hombre a nuestra imagen, conforme a nuestra semejanza; y señoree en los peces del mar, en las aves de los cielos, en las bestias, en toda la tierra, y en todo animal que se arrastra sobre la tierra»* (Génesis 1:26).

Muchas personas tienen el pensamiento distorsionado y creen que Dios los odia. Lógicamente están influenciadas por las experiencias que han vivido. Una persona que odia es la resultante de las circunstancias que dañaron su vida y su corazón, y necesita ser sana de ese dolor. Esa mala interpretación se infiltra como un veneno hasta contaminar el ser de un individuo, y a través de esa lente ve todo a su alrededor.

Dios no te odia, todo lo contrario, te ama tanto que quiere que experimentes la plenitud y la paz que hay en Él: «porque de tal manera amó Dios al mundo, que ha dado a su Hijo unigénito, para que todo aquel que en él cree, no se pierda, más tenga vida eterna» (Juan 3:16).

TUS DECISIONES

La religiosidad condena y usa la Palabra de Dios aun para justificar sus malas acciones. Pero una relación con Dios restaura y trae cambios. A veces no tenemos un fundamento en nuestro sistema de creencias y decimos cosas sin entendimiento. Por ejemplo, a la gente le gusta decir que «solo Dios puede juzgar». Esto debería darnos un gran temor, ya que Dios nos da el don de la prerrogativa del libre albedrío. ¿Qué significa esto? Que Él es Dios, pero no está en control de tus decisiones. El libre albedrío es un regalo que Dios te da, pero Él no interviene en el resultado de las consecuencias que tienes ante tus elecciones.

«El alma que pecare, ésa morirá; el hijo no llevará el pecado del padre, ni el padre llevará el pecado del hijo; la justicia del justo será sobre él, y la impiedad del impío será sobre él» (Ezequiel 18:20).

Cada decisión que tomas traerá una consecuencia: Positiva o negativa. Sin embargo, Él promete ayudarte durante el proceso de sanidad de esas consecuencias. Por eso es muy importante que antes de tomar una decisión, tengas en cuenta las consecuencias.

La raíz de la homosexualidad en una vida no se desarrolla de la noche a la mañana. Es un proceso que puede llevar meses y hasta años. Así como Dios pone ángeles que nos guarden, también Satanás tiene demonios asignados para destruir tu vida y robar tu identidad. Tanto Dios como Satanás tienen un plan para ti. El plan de Dios es para vida eterna, y el de Satanás para muerte eterna.

EL GRAN IMITADOR

Como notarás, Satanás es imitador de todo lo que Dios hace. Como Dios hace milagros a través del Espíritu Santo, Satanás usa la brujería para intentar hacer casi lo mismo.

El plan de Dios es manifestar su naturaleza, su voluntad y soberanía en lo visible e invisible a través del Espíritu Santo, quien nos purifica. Nosotros somos el templo del Espíritu Santo, por el cual Dios obra y su poder fluye a través de Jesús. Cuando nuestra vida está totalmente entregada al Espíritu Santo, sus atributos son manifiestos en nosotros.

Los atributos de Dios se encuentran en Gálatas 5:22-23:

- Amor
- Gozo
- Paz
- Paciencia
- Benignidad
- Bondad
- Fe

El Espíritu Santo viene para darte vida y vida en abundancia, y te fortalece al entregarte estos siete atributos.

La versión infernal que Satanás tiene para tu vida, es la manifestación de la naturaleza de Satanás quien la hace manifiesta y clara cuando alguien está entregado totalmente a él, y se encuentra en Gálatas 5:19-21:

- Inmoralidad Sexual
- Impureza
- Pasiones sensuales
- Descontrol
- Idolatría
- Participar en brujerías
- Odio
- Discordia

- Celos
- Iras
- Rivalidades
- Peleas
- Divisiones
- Envidias
- Borracheras
- Orgias y cosas semejantes.

Dios te da el regalo de la elección, el libre albedrío, más no te da el privilegio de determinar un resultado diferente de las consecuencias que tienes al final de tus elecciones.

Satanás sabe qué hacer exactamente para llevarte a la autodestrucción en la tierra y por la eternidad. La Biblia dice que *«El ladrón no viene sino para hurtar y matar y destruir; yo he venido para que tengan vida, y para que la tengan en abundancia»* (Juan 10:10).

Las leyes de los hombres pueden ser manejadas, cambiadas, ajustadas, pero las leyes establecidas por Dios no pueden ser manipuladas ni alteradas. No importa qué digamos o intentemos hacer, lo que está establecido no se puede cambiar. Podemos tomar nuestras propias decisiones, pero las consecuencias serán difíciles cuando van en contra de lo que Dios estableció.

«¿No sabéis que sois templo de Dios, y que el Espíritu de Dios mora en vosotros? Si alguno destruyere el templo de Dios, Dios le destruirá a él; porque el templo de Dios, el cual sois vosotros, santo es» (1 Corintios 3:16-17).

El apóstol Pablo escribe a los efesios: «Vestíos de toda la armadura de Dios, para que podáis estar firmes contra las *asechanzas del diablo»* (Efesios 6:11)

ASECHANZAS ENEMIGAS

Las asechanzas son las estrategias del diablo, aquello que los demonios no quieren que sepas, su metodología. Puesto si logras descifrar su plan, ya no podrá atacarte.

El significado de la palabra *asechanza* es «una amenaza oculta o disimulada para perjudicar a alguien con estrategias engañosas». Satanás tiene muchas formas de atacar al hombre, pero una de las principales es a través del engaño, haciéndote creer una mentira que parece ser una verdad. Y desconocer una verdad nos hace esclavos de una mentira.

La Biblia dice que cuando Adán y Eva estaban en el Jardín del Edén, vino una serpiente y le hablo a Eva con un engaño envuelto en una verdad.

> *«Pero la serpiente era astuta, más que todos los animales del campo que Jehová Dios había hecho; la cual dijo a la mujer: ¿Conque Dios os ha dicho: No comáis de todo árbol del huerto?» (Génesis 3:1).*

¿Por qué Satanás usó una serpiente para hablar con la mujer? La razón fue porque era más astuta que el resto de los animales que Dios había creado. Entonces encontró la forma perfecta para deslizarse dentro del jardín y engañar a Adán y a Eva.

Para que el diablo y los demonios puedan ser más efectivos en lo que hacen, necesitan un cuerpo a través del cual operar y que su naturaleza sea manifestada. Satanás necesitaba un cuerpo físico para poder llegar a Adán y Eva. De la misma forma tuvo que usar un vehículo para poder llegar a ti sin que sospecharas que era él y así poder sembrar una semilla de confusión en tu cabeza. En mi caso, Satanás usó a mi primo para poder llegar a mí cuando yo tenía seis años y que abusara de mí. Recuerda que el enemigo siempre utilizará a alguien cercano a tu corazón, con quien te sientas en confianza, para que de esa forma logre acercarse y tomar ventaja.

Todos los jóvenes con los que tengo la oportunidad de hablar fueron víctimas de algún tipo de abuso. Algunos de ellos, después de muchos años, ni si quiera saben qué fue lo que les sucedió, no recuerdan nada.

Lo que sucede es que después del trauma aprenden a suprimir las emociones en su corazón y lo esconden creyendo que, si no dicen nada, será mejor, cuando en realidad, es peor, porque nunca llegan a tratar con los eventos de la vida y su interpretación. La vida misma va cambiando hasta llegar a modificar la identidad.

La Biblia dice que Satanás trabaja como ángel de luz, usando trucos y engaños. Él no quiere que lo veas y mucho menos que lo reconozcas, porque viene a matar, a robar y a destruir vidas, identidades y destinos. Recuerda que él es padre de toda mentira, y utiliza eso para sacarte de la protección divina. Él sabe que mientras te encuentras bajo la cobertura de Dios, no puede tocarte y mucho menos influenciarte. Él sabe que reaccionamos al escucharlo y lo obedecemos creyendo lo que dice y a quien usa. Triste, ¿verdad? Pero es una realidad.

SURGEN PREGUNTAS

¿Por qué Dios lo permitió? ¿Por qué me abandonó? Y muchos otros cuestionamientos que alimentan esas dudas en nuestra mente. No cuidamos nuestros pensamientos. Nos alejamos de Dios porque creemos que nos abandonó, y más tarde nos vemos a nosotros mismos como víctimas.

Pero el plan del enemigo no termina ahí, sino que cuando ha logrado sacarte de esa cobertura, alejándote de Dios, entonces sabe que puede llegar con más influencia y seguridad a tu corazón, así como lo hizo con Adán y Eva.

Como te darás cuenta, su fórmula sigue siendo la misma: remover a las personas de la protección divina.

Esto confirma por qué uno de los siete espíritus del homosexualismo, que hemos descripto en el capítulo anterior, es el de la división. Satanás quiere alejarte de toda cobertura y utiliza a determinadas personas para ayudarte a salir de allí, usando la desobediencia para crear división, como lo hizo entre Dios y Adán. Satanás sabía que, si los movía del territorio que ellos gobernaban, él podía entrar y tomar posesión legal.

En el momento que acepté que era homosexual, le di a Satanás, mi gran enemigo, el derecho legal sobre mí, y logró atarme de esa manera. De mi propia voluntad le di toda autoridad sobre mi mente y mi cuerpo.

Cuando tú remueves completamente a Dios de tu vida a través de tus decisiones y tu voluntad, y te entregas a tus deseos, le estás entregando a Satanás el derecho de hacer contigo lo que quiera, y aunque pensemos que estamos en control, no es así. Siempre estarás donde él quiere que estés. Una vida sin Dios es un caos, un desorden emocional.

«Cambiaron la verdad acerca de Dios por una mentira. Y así rindieron culto y sirvieron a las cosas que Dios creó, pero no al Creador mismo, ¡quien es digno de eterna alabanza! Amén. Por esa razón, Dios los abandonó a sus pasiones vergonzosas. Aun las mujeres se rebelaron contra la forma natural de tener relaciones sexuales y, en cambio, dieron rienda suelta al sexo

unas con otras. Los hombres, por su parte, en lugar de tener relaciones sexuales normales, con la mujer, ardieron en pasiones unos con otros. Los hombres hicieron cosas vergonzosas con otros hombres y, como consecuencia de ese pecado, sufrieron dentro de sí el castigo que merecían. Por pensar que era una tontería reconocer a Dios, él los abandonó a sus tontos razonamientos y dejó que hicieran cosas que jamás deberían hacerse» (Romanos 1:25-28).

Satanás sabe cómo hacer para que veas las cosas desde su perspectiva, a través de sus ojos. Constantemente tratará de abrir puertas de acceso a tu mente para crear sentimientos que te llevan a acciones y así poder ingresar. El enemigo te hace pensar que nunca podrás vencerlo, que tiene más poder que tú. En otras palabras, te convence de que te veas débil.

Pero... EL ÚNICO PODER QUE SATANÁS Y SUS DEMONIOS TIENEN, ES EL PODER QUE TÚ MISMO LE DAS. Tenemos que darnos cuenta de que ya fueron vencidos, ya perdieron la batalla, por lo tanto, estamos tratando con espíritus que ya fueron derrotados, pero por causa de pecados cometidos contra nosotros y por nosotros, han logrado entrar a nuestra vida. «*Jesús dijo y conoceréis la verdad, y la verdad os hará libres*» (Juan 8:32).

«Anulando el acta de los decretos que había contra nosotros, que nos era contraria, quitándola de en medio y clavándola en la cruz, y despojando a los principados y a las potestades, los exhibió públicamente, triunfando sobre ellos en la cruz» (Colosenses 2:14-15).

CAPÍTULO 14

Babilonia hoy

Por mucho tiempo traté de entender la severidad de la homosexualidad y cómo Dios verdaderamente ve la inmoralidad sexual. Si bien la Iglesia lucha contra este pecado, es difícil equilibrar por un lado el amor incondicional al perdido y por el otro, la verdad de la Palabra de Dios. Pero, si amo a alguien, ¿puedo ocultar la verdad?

El Espíritu Santo advierte a una de las siete iglesias, Tiatira, contra la «tolerancia», ya que los estaba conduciendo a la inmoralidad y a la idolatría, y les dice: «Pero tengo unas pocas cosas contra ti: que toleras que esa mujer Jezabel, que se dice profetisa, enseñe y seduzca a mis siervos a fornicar y a comer cosas sacrificadas a los ídolos. Y le he dado tiempo para que se arrepienta, pero no quiere arrepentirse de su fornicación» (Apocalipsis 2:20-21).

A menudo nuestra cultura confunde los términos «amor» y «tolerancia», ya que son diferentes. El amor busca el bien del otro. La tolerancia busca ser considerada buena ante los ojos de otra persona, permitiendo algo que no es lícito, sin aprobarlo expresamente. El amor proviene del temor a Dios. La tolerancia proviene del temor al hombre. Las Escrituras nunca presentan la tolerancia como una virtud. Y debemos anclar nuestros valores en la Palabra de Dios, no en el sistema roto de este mundo.

A través de los años, el sexo libre se ha vuelto parte del estilo de vida cotidiano, fácilmente disponible, desde anuncios gigantescos de ropa interior en las carreteras, a imágenes semidesnudas en las vitrinas de los centros comerciales. Seguramente están estratégicamente ubicadas bajo influencias demoniacas que han ido insensibilizando la mente de hombres, mujeres y niños ante estas imágenes. De esta forma, poco a poco se ha ido creando una sociedad que constantemente busca transformar su imagen, su cuerpo.

Las redes sociales nos han permitido alterar nuestra imagen con filtros y formar el retrato mental del cuerpo ideal. ¿Será que todo esto solo nos está preparando para algo mucho más siniestro en el futuro? Aunque no lo sé con exactitud, estoy seguro de quién está detrás de todo esto: Lucifer, el primero que sufrió una crisis de identidad al querer ser como Dios.

En su intento fallido perdió todo lo que tenía en su poder y fue arrojado de la eternidad a la tierra, tanto él como todos sus seguidores. Ahora están llenos de ira, amargura y un deseo insaciable de destruir, matar y controlar a cualquier costo.

Dios le dio al hombre la habilidad de identificar la diferencia entre el bien y el mal. Lucifer sabía que su estrategia por conquistar el alma de los hombres no podía ser obvia. Y al ser el más sabio de toda la creación, desarrolló un sistema de control no evidente ante la mirada de los hombres. El sitio perfecto para lanzar su ataque mortal fue la mente del ser humano, lo más poderoso que tenemos, pero también nuestra mayor debilidad.

Recuerda las veces que un pensamiento removió profundas emociones en ti y te ha llevado al momento más oscuro de tu vida. Porque un pensamiento implantado en la mente humana es más poderoso que alguien físicamente te fuerce a hacer algo.

Los demonios son implacables en su persecución. El único poder que puede detenerlos es el del Espíritu Santo y el fluir constante de la Palabra de Dios en nuestra vida. Puede sonar radical, pero debemos eliminar todo lo que nos está influenciando para alejarnos de la santidad de Dios.

La actividad demoníaca que te rodea te mantendrá pensando en lo mismo una y otra vez, todo el tiempo. Habrá días en los que solo pienses en deseos sexuales que sabes que están mal, pero te molestarán hasta desgastarte para que caigas en la trampa.

Hoy las redes sociales están plagadas de pornografía e inmoralidad sexual. Las personas se exponen solo para conseguir seguidores y ¿por qué? La respuesta la encontramos en Romanos 1:25: «porque cambiaron la verdad de Dios por la mentira y adoraron y sirvieron a la criatura en lugar del Creador, el cual es bendito por los siglos» (LBLA).

EL SISTEMA BABILÓNICO

El homosexualismo y toda inmoralidad sexual es parte del sistema babilónico de Satanás para controlar a los hombres y crear familias y sociedades inestables, fáciles de manipular, que se rebelan contra la justicia y la verdad del eterno Dios YHWH (Yahweh).

Satanás tenía el control total de la humanidad. La Biblia dice que antes del diluvio los hombres fueron corruptos, y cuando algo o alguien se corrompe, significa que se destruye. Incluso las mujeres eran tan malvadas, según relata Génesis 6, que tenían relaciones sexuales con seres espirituales demoníacos.

De acuerdo a estudios realizados por expertos, en el Antiguo Testamento se utilizan las palabras «hijos de Dios» para describir seres angélicos buenos o malos. A través de esas relaciones con mujeres corruptas, Satanás quería crear una especie de demonio mezclado con hombre, y así corromper la estructura del ADN de la especie humana.

En ese momento, las personas le estaban dando la bienvenida a la presencia de demonios a sus vidas de una manera muy real. Ellos tenían comunicación constante y contacto directo con los humanos.

La inmoralidad sexual los llevó a un lugar tan oscuro que la Palabra dice lo siguiente: «Y se arrepintió Jehová de haber hecho hombre en la tierra, y le dolió en su corazón» (v.6). Por lo que decidió destruirlos a todos, pero aun así les dio tiempo para arrepentirse, ya que mientras Noé construía el arca, les predicaba salvación. Pero no quisieron escucharlo.

Practicar la inmoralidad sexual y convertirse en un facilitador del pecado es una de las formas más rápidas de transformarse en el tipo de persona que Dios dijo que le apenaba haber creado. Desde el Edén, Satanás no ha dejado de usar estrategias para torcer la verdad y engañar a hombres, mujeres y niños.

Después del diluvio, todo volvió a comenzar, pero esta vez con Cam, hijo menor de Noé, quien abusó sexualmente de su padre, y como consecuencia, Noé maldijo fuertemente a su nieto Canaan.

«Y despertó Noé de su embriaguez, y supo lo que le había hecho su hijo más joven, y dijo: Maldito sea Canaán; siervo de siervos será a sus hermanos» (Génesis 9:24-25)

Luego, observamos que toda la genealogía de Cam fue sexualmente depravada. Su generación dio a luz al homosexualismo y toda perversidad sexual bajo la influencia de potestades demoníacas.

Satanás y sus principados han hecho un muy buen trabajo para desensibilizar a la humanidad de muchas cosas, pero una de las más peligrosas es la aceptación de la inmoralidad sexual, aunque muchos no lo vean así.

NIMROD, NIETO DE CAM

En Babel se observa el comienzo del sistema y el reino de este mundo, encabezado por el poderoso cazador Nimrod, nieto de Cam. Algunos eruditos postulan que Nimrod vino de una raíz semítica, de un idioma similar al hebreo antiguo, cuya raíz parece ser una palabra más o menos romanizada como «marad», que significa «rebelarse». Debido a esto, a menudo se piensa que Nimrod fue rebelde contra el Señor. Podría traducirse más literalmente como «al rostro del Señor», en otras palabras, en oposición a Dios. Esta posible traducción puede respaldar el nombre de Nimrod como «el rebelde».

La Biblia dice: «Este fue vigoroso cazador delante de Jehová; por lo cual se dice: Así como Nimrod, vigoroso cazador delante de Jehová. Y fue el comienzo de su reino Babel, Erec, Acad y Calne, en la tierra de Sinar» (Génesis 10:9-10).

Nimrod, nieto de Cam, fundó Babilonia, Nínive y su reino se extendió a Sodoma y Gomorra con la intención de rebelarse contra Dios y todo lo que Él representara. Quería quitar a Dios de cada área de su vida, influenciar a las personas a desarrollar sus propios caminos e interpretación de la vida. Ellos podían hacer lo que quisieran, y como sus leyes no eran justas, la inmoralidad sexual fue normalizada por los babilónicos.

Tenían templos del sexo. Para los babilónicos era un pecado ser virgen. Ellos iniciaron la pedofilia y adoctrinaban a los niños desde temprana edad hacia la inmoralidad sexual. Ese mismo adoctrinamiento lo vemos hoy en día a través de los medios de comunicación y la educación, bajo la excusa de ser inclusivos.

En Babilonia también fue creada la pornografía. Ellos distribuían a hombres, mujeres y niños, tabletas hechas de arcilla con imágenes que mostraban posiciones sexuales explícitas.

Nimrod era un tirano, perverso y sexualmente depravado, pero había algo místico en él. Algunos historiadores e incluso escritos contemporáneos mencionan que podría haber sido un gigante o tener algo de sangre *nephilin,* que según los relatos de Génesis 6:1-4, se les llama de esta forma a seres que fueron el resultado de la unión antinatural entre seres espirituales demoníacos y mujeres humanas. Pudo haber sido conocido como Gilgamesh, rey de la ciudad de Uruk, de quien se decía que era dos tercios espíritu y un tercio humano. Era considerado el hombre más grande y hermoso, pero al mismo tiempo era un tirano (Poema de Gilgamesh).

Nimrod fue quien ayudó a las personas a crear una religión y un sistema basado en sus deseos de satisfacción propia. Así fue que Babilonia se convirtió en el fundamento a seguir de todos los reinos terrenales. El sistema que hoy opera en el mundo nació en Babel. Su objetivo más elevado era: «Luego dijeron: "Vamos, edifiquémonos una ciudad y una torre cuya cúspide *llegue* hasta los cielos, y hagámonos un nombre *famoso,* para que no seamos dispersados sobre la superficie de toda la tierra"» (Genesis 11:4 NBLA).

Jesús dijo que Satanás era el príncipe de este mundo (Juan 12:31 - 14:30 y 16:11). Este sistema diabólico está empeñado en destronar al Dios del universo y llevar a la humanidad a la destrucción. Es un sistema de orgullo, autosuficiencia y desafío al Creador.

Babel (Babilonia) era el lugar del trono de Satanás y sus principados. La gente de Babel estaba tan fuertemente influenciada por los poderes demoníacos que cada pensamiento que tenían era de deseos lujuriosos. De la misma manera que lo hizo en Babilonia, Nínive, Sodoma y Gomorra, lo está haciendo ahora mismo en la tierra.

Satanás te siega para que no te des cuenta de que, en tu autoproclamada libertad, te has vuelto aún más esclavo de tus propias pasiones. Pero aun teniéndolo «todo», existe un vacío que nunca podrás llenar sin Cristo.

«En los cuales el dios de este mundo ha cegado el entendimiento de los incrédulos, para que no vean el resplandor del evangelio de la gloria de Cristo, que es la imagen de Dios» (

Sin duda, Babilonia era el epicentro de toda inmoralidad sexual y ese es el sistema que Satanás ha usado desde la antigüedad para controlar a la humanidad. Cuando nos referimos a la maldad de los hombres, vienen a nuestra mente imágenes sangrientas y hechos macabros, pero existe un nivel de maldad que fue creado en la eternidad por Lucifer, y está a la vista de todos, sin embargo, no lo vemos como malvado, y es la homosexualidad y transexualidad.

EN BUSCA DE LA AUTOCOMPLACENCIA

La práctica de la homosexualidad y de la inmoralidad sexual es la máxima expresión de rebeldía hacia nuestro creador. Es el punto donde el hombre ha tomado una decisión con su alma y su cuerpo de abandonar su naturaleza y vivir una vida en contra de su diseño original, dándole así la espalda a su Creador.

El cambio de sexo es físicamente imposible, psicosocialmente inútil y filosóficamente equivocado. La ciencia moderna muestra que nuestra organización sexual comienza en nuestro ADN y se desarrolla en el útero. Además, las diferencias sexuales también se manifiestan en muchos sistemas y órganos corporales, hasta el nivel molecular.

En otras palabras, nuestra estructura física fue moldeada orgánicamente desde el comienzo de la vida para una de las dos funciones en la reproducción, en todos los niveles de nuestro ser y solo existen dos sexos: varón y hembra.

La cirugía estética, las hormonas, los bloqueadores de pubertad, no pueden convertirnos en el sexo opuesto. Pueden afectar las apariencias. Pueden atrofiar o dañar algunas expresiones externas de nuestro sistema reproductivo. Pero no pueden transformarlo. No pueden cambiarnos de un sexo al otro. Sin embargo, lo que logran crear es un vacío de mayor insatisfacción en su intento de ser algo que no forma parte de su naturaleza.

Pablo le dijo a Timoteo que «Porque vendrá tiempo cuando no sufrirán la sana doctrina, sino que teniendo comezón de oír, se amontonarán maestros conforme a sus propias concupiscencias», que satisfagan sus propios deseos pasionales (2 Timoteo 4:3).

Quienes viven en pecado sexual son más vulnerables a la influencia demoníaca porque viven para la autocomplacencia y la satisfacción propia. Eso crea un gran vacío de la verdad en sus vidas.

Ahora existe lo que llamamos «religión terapéutica moralista», que es la suposición de que el único propósito de las religiones es proporcionar beneficios terapéuticos. Las nuevas generaciones no ven su existencia para hacer la voluntad de Dios, sino únicamente para satisfacer sus necesidades humanas. Ellos buscan practicar la religión que te hace sentir feliz, satisfecho, seguro y en paz. Siempre se trata del bienestar propio, en lugar de obedecer a Dios, glorificarlo y vivir una vida para agradarlo.

Una relación correcta con Dios nos lleva a la práctica correcta de la religión, y no debemos confundirla con el legalismo.

Hay quienes dicen que como Dios ama a su pueblo, la salvación no se pierde a causa de su amor, por lo tanto, puedo vivir como quiero, ya que fui salvo una vez y así será para siempre, aunque viva equivocadamente. Esto es un gran error.

Esa sería una nueva doctrina llamada la «hipergracia», que minimiza el pecado a través de la gracia. Ellos pretenden seguir viviendo en la inmoralidad creyendo que entrarán en el reino de los cielos porque Dios es gracia y amor, y los aceptará, aunque se hayan corrompido y decidido vivir como quieran. Esto es una GRAN mentira que está enceguecíendo la vida de miles que quieren seguir viviendo a su manera.

Por lo tanto, si estás lidiando con un pecado sexual en tu vida y concurres a una iglesia que todo lo que predican es acerca de una «hipergracia», entonces adoptarás una forma de pensar que establece que Dios te permite seguir con tus prácticas de inmoralidad sexual, que Él entiende y conoce tus luchas, porque si así no fuera, ¿por qué no te ha liberado y continúas lidiando con ellas? Entonces acusas a Dios, en lugar de ser sincero con tu propia vida y aceptar que todas estas cosas requieren de dominio propio y no es la culpa de Dios que te dejes dominar por ellas.

Las personas que practican el pecado sexual no pueden comprender la verdad. Quizás pueden saber algunas cosas sobre la fe y creer en eso, pero la verdad es algo que tienes que vivir. Y si no está gravado en lo profundo de tu ser, y continúas viviendo en pecado sexual simplemente no puedes absorber la verdad porque estás viviendo una mentira.

UNA PREDICACIÓN QUE APRUEBE LO QUE HAGO

La generación de hoy ha reforzado esta forma de pensar, gran parte a través de la predicación que solemos escuchar en la actualidad. Esta se centra en las necesidades de los oyentes comunicando que el valor de las Escrituras y del evangelio se trata de lo que pueden hacer por mí. Esto refuerza el pensamiento de que todo «se trata de mí», y eso permite una malinterpretación de la Biblia.

Leer y estudiar la Palabra de Dios junto con la oración, creará un marco de pensamiento y manifestará la vida de Cristo en nosotros y nos mantendrá en el camino de la voluntad de Dios.

No te dejes engañar por predicadores que lo único que hacen es exponer un humanismo positivo. Eso es lo que quiere la carne. Ese es el sistema babilónico. Nosotros necesitamos ser honestos con nosotros mismos y pedirle a Dios que nos muestre todo aquello que nos esté dirigiendo en la dirección equivocada.

Así comenzó a pensar Babilonia y sobre esas bases fue fundada. Es relevante para este tiempo que no solo aprendamos la forma de pensar de Babilonia, sino que leamos lo que luego nos advierte Pablo acerca de lo que llamó «la segunda venida de Babilonia».

En el libro escrito a los romanos encontramos un grupo de personas cuyos pensamientos están bajo influencias demoníacas y culminan en el control total de estas potestades que efectivamente han corrompido sus mentes afectando su voluntad.

De acuerdo a la descripción del apóstol, ellos no llegaron ahí de la noche a la mañana, sino que fue un proceso que se inició de la siguiente manera:

1. Dejaron de honrar a Dios y de darle gracias, convirtiéndose en personas malagradecidas que solo piensan en sí mismos. «A pesar de haber conocido a Dios, no lo glorificaron como a Dios ni le dieron gracias, sino que se extraviaron en sus inútiles razonamientos, y se les oscureció su insensato corazón» (Romanos 1:21 NVI).
2. Oscurecieron su corazón profesando ser sabios, se volvieron necios y cambiaron la imagen de Dios por la imagen del hombre. «Aunque afirmaban ser sabios, se volvieron necios y cambiaron la gloria del Dios inmortal por imágenes que eran réplicas del hombre mortal, de las aves, de los cuadrúpedos y de los reptiles» (Romanos 1:22-23 NVI).
3. Se entregaron a la lujuria. «Por eso Dios los entregó a los malos deseos de sus corazones, que conducen a la impureza sexual, de modo que degradaron sus cuerpos los unos con los otros» (Romanos 1:24 NVI).
4. Suprimieron la verdad de Dios por la mentira. «Cambiaron la verdad de Dios por la mentira, adorando y sirviendo a los seres creados antes que, al

Creador, quien es bendito por siempre» (Romanos 1:25 NVI).

5. Se entregaron a la satisfacción propia: «Así mismo los hombres dejaron las relaciones naturales con la mujer y se encendieron en pasiones lujuriosas los unos con los otros. Hombres con hombres cometieron actos indecentes, y en sí mismos recibieron el castigo que merecía su perversión» (Romanos 1:27 NVI).
6. Permitieron pensamientos de una mente depravada: «Además, como estimaron que no valía la pena tomar en cuenta el conocimiento de Dios, él a su vez los entregó a la depravación mental, para que hicieran lo que no debían hacer» (Romanos 1:28 NVI).
7. Se llenaron de toda injusticia, maldad, codicia: «Se han llenado de toda clase de maldad, perversidad, avaricia y depravación. Están repletos de envidia, homicidios, disensiones, engaño y malicia. Son chismosos, calumniadores, enemigos de Dios, insolentes, soberbios y arrogantes; se ingenian maldades; se rebelan contra sus padres; son insensatos, desleales, insensibles, despiadados» (Romanos 1:29-30 NVI).

Sin embargo, no importa cuán pecador hayas sido, Dios puede renovar nuestro corazón y nuestra mente. Así lo declara en su Palabra: «Esparciré sobre vosotros agua limpia, y seréis limpiados de todas vuestras inmundicias; y de todos vuestros ídolos os limpiaré» (Ezequiel 36:25).

CAPÍTULO 15

Un pacto de restauración

Si Jesús estuviera aquí, frente a ti ahora, te hablaría con amor y te daría el abrazo que tanto anhelas. Lo maravilloso es que todo eso es posible a través de su Espíritu Santo. Su dulce presencia te sostendrá en el camino que recorrerás si decides cambiar tu vida.

Sé que no es fácil. A través de los años he vivido muchos momentos difíciles y cometido muchos errores. En varias oportunidades me desilusioné de personas cristianas, he querido alejarme de todo lo relacionado con Dios, pero siempre Su amor y misericordia me acercaron a Él.

Nadie podrá comprenderte como el Espíritu Santo. Para mí es muy importante valorar lo que Él dice de mí, vale mucho más que lo que dice la gente. ¿Sabes por qué? Por qué fui hecho a Su imagen. Solo el Creador sabe lo que verdaderamente cuesta su creación y es el único que puede apreciar el esfuerzo de aquel que quiere dejar todo para acercarse a Él.

Cuando comienzas a caminar con Dios, se inicia un pacto entre tú y Él, de restauración, de renovación. Él te fortalece, se lleva todas tus cargas y tus culpas y comienza una nueva obra en ti, hasta hacerte una persona totalmente nueva.

Han pasado ya varios años y he llegado hasta este momento, escribiendo mi historia, gracias a Él.

Al principio fue muy difícil, me quede solo, no tenía amigos, y lidiaba con muchas luchas internas. No entendía por qué seguía teniendo deseos sexuales y continuaba sintiendo atracción hacia los hombres. Esas sensaciones eran tormentosas. Me sentía un hipócrita. Cómo era posible que todavía continuaba teniendo estos pensamientos. Guardaba todo eso en mi corazón. No sabía adónde ir y mucho menos cómo orar. Fueron días difíciles.

Las personas creen que al momento de recibir a Jesús todas tus costumbres desaparecen automáticamente, que las cosas viejas pasan, Dios te limpia de toda tu historia, y ningún pensamiento pecaminoso vuelve a cruzar por tu mente. Pero en verdad eso no es así, esto recién comienza. Ingresas en un proceso de renovación de tus pensamientos.

Pero en esos momentos, el Espíritu Santo comenzó a enseñarme la importancia de Su Palabra, del ayuno y la oración. A través de la oración aprendí a purificar mi mente de todos los pensamientos que ahora sé identificar como trampas del maligno.

Me había determinado a cambiar mi vida, y aunque estaba solo, sin nadie que me guiara, tenía al mejor ayudador: el Espíritu Santo. Él me enseñó a vivir en total transparencia, a no dejar nada oculto en mi corazón. Entendí que, si mantenía una relación íntima y transparente con Dios, entonces Satanás no podría usar nada en mi contra.

Recuerdo una mañana cuando desperté con muchos deseos sexuales. Tenía pensamientos que me guiaban a la autosatisfacción. Luego me sentí culpable y con mucha vergüenza dije: «Espíritu Santo, perdóname. Esto no es lo que quiero para mí. Por favor, háblame y hazme saber que me perdonas». En ese momento escuche Su voz decirme: «Lee el Salmo 32». Enseguida lo busqué y dice así: «*¡Oh, qué alegría para aquellos a quienes se les perdona la desobediencia, a quienes se les cubre su pecado! Sí, ¡qué alegría para aquellos a quienes el Señor les borró la culpa de su cuenta, los que llevan una vida de total transparencia!*» (Salmo 32:1-2 NTV).

Este salmo se volvió en la clave para vivir una vida sin culpa. Aprendí a no ocultarle nada a mi amigo, el Espíritu Santo, ni siquiera los pensamientos más oscuros. Necesito abrir mi boca y renunciar a ellos para que no tengan dominio sobre mis acciones.

No hay nada más importante que el poder redentor y transformador de Jesucristo, incluido aquello que aparentemente es imposible de superar, la atracción y la tentación hacia el mismo sexo.

Hoy, después de varios años, desde el día que decidí entregarle totalmente mi vida a Dios, puedo decir que he experimentado:

- Paz total en mi vida
- Gozo de continuo
- Amor eterno de Dios (Al saber que me ama a pesar de mis errores y debilidades).

SI SIENTES LO MISMO QUE YO

Quizá tú y yo nunca tengamos la oportunidad de conversar cara a cara, pero quiero que sepas que cada una de las palabras que he escrito en estas páginas las redacto desde lo más profundo de mi corazón exclusivamente para ti. Escribo para todas las personas que en algún momento fueron heridos por la religión, a los que pensaron que Dios los abandonó, a los que los maltrataron en el nombre de Jesucristo. Y aunque no lo creas hoy quiero decirte que nuestro Padre eterno te ama. Así como Dios me amó a mí, yo sé lo que sientes. Sé lo que se siente desear escuchar a alguien que te diga que «te ama a pesar de la apariencia que tengas», sin importar cómo estés vestido, cómo hables, camines y aún con quién estés. Pero si en verdad decides cambiar tu vida, Dios te recibe con los brazos abiertos.

A través de mi historia y mis palabras te estoy presentando a un Dios sobrenatural que nunca me rechazó, que conociendo todos mis errores y debilidades, no me despreció.

Nunca imaginé que un día, estaría felizmente casado con una gran mujer como lo es mi esposa Alejandra, y juntos disfrutaríamos de nuestros hermosos hijos. Todo esto parecía imposible para mí, pero evidentemente estaba en los planes de Dios. Entonces, ¿qué tiene Dios para tu vida? Solamente Él lo sabe. Sus planes son mucho mejores de cómo te encuentras hoy. Quizás tu realidad te refleje una cosa, pero esa no es tu verdad. Tu verdad solo la encontrarás en tu Creador y en Su Palabra.

Mi amigo/a, Jesús dijo: «Vengan a mí todos los que están cansados y llevan cargas pesadas, y yo les daré descanso. Pónganse mi yugo. Déjenme enseñarles, porque yo soy humilde y tierno de corazón, y encontrarán descanso para el alma. Pues mi yugo es fácil de llevar y la carga que les doy es liviana (Mateo 11:28-30 NTV).

Por el poder de su amor tú puedes experimentar una transformación total, la transparencia de ser quien verdaderamente Dios te creo para que seas, y que transciendas a lo que nunca te imaginaste posible alcanzar y sobre todo que experimentes la paz que sobrepasa todo entendimiento.

¿Alguna vez te has sentido rechazado? Muchas veces me sentí solo, sin deseos de vivir. Llegó un punto en mi vida que ya nada tenía sentido. No importaba lo que hacía o con quién lo hacía, ya nada me satisfacía. Pero después de lo que he vivido, después de haberlo probado todo, no hay nada que la sangre de Jesús no pueda limpiar. Esa es la máxima expresión de amor que ningún hombre nunca te podrá dar.

Conocer a Jesucristo ha sido lo mejor que me pudo haber pasado. Ahora sé lo que es la verdadera felicidad, porque no lo sabes hasta que lo experimentas y descubres cuán valiosa es la paz que Dios te da.

Desde el momento que le pedí a Jesús que viniera a mi vida, que le entregaba mi corazón, sentí el deseo de conocerle más, quería acercarme a la realidad de Su presencia. Eso me llevó a buscarlo en intimidad, en lo secreto, pasar horas cantando, orando y leyendo la Biblia. Nunca olvidaré el día que le dije: «Señor, no sé cómo lo voy a hacer, pero aquí estoy, tal como soy».

DÍA A DÍA ANTE ÉL

Aquella madrugada, cuando sentí al Espíritu Santo descender sobre mi vida, un gran fuego parecía quemar todo mi interior. Una electricidad corría por todo mi cuerpo. Fue una sensación sobrenatural. Absolutamente nada en el mundo me había ofrecido esa extrema paz y amor.

Desde ese día decidí que quería vivir el resto de mi vida conociendo más de Él y desarrollar una relación personal con el Espíritu Santo, pero no a través de las historias de los demás, sino por propias experiencias. Ese día supe que ante todo lo que viniera contra mí, Él sería mi Ayudador y juntos podríamos vencer toda adversidad.

Al principio, para mí fue muy difícil entender eso, porque tenía muchos ademanes afeminados, caminaba diferente y me vestía distinto. En oportunidades me encontré con legalistas, religiosos, que me juzgaban y hablaban mal de mí. Pero no sabían de dónde Dios me había sacado y que todavía estaba en proceso de ser transformado. Muchos ven tu presente, pero no conocen tu pasado. Critican sin saber de dónde vienes y lo que Dios ha hecho contigo. Nadie sabe las dificultades por las cuales has pasado, pero en medio de eso, aprendí a no escuchar las voces exteriores, porque la gente siempre hablará.

Las tentaciones siempre estarán ahí. Satanás constantemente estará buscando la oportunidad de derribarme, pero mi lugar seguro es estando cerca del Espíritu Santo, porque ni la muerte podrá separarme de Él.

Lo primero que he aprendido a hacer cada mañana, es entrar a Su presencia en oración y adoración. Eso me fortalece. Cada día anhelo un nuevo encuentro con Dios y espero ser transformado aún más. Pero debes saber que ser un cristiano no significa que serás perfecto y que todo desaparecerá. Es un proceso de transformación diaria con decisiones intencionales que te llevarán a una meta eterna.

Si quieres experimentar un verdadero cambio en tu vida, no podrás hacerlo solo, la única persona que puede acompañarte es el Espíritu Santo. Ningún hombre por muy espiritual que sea, puede cambiarte. Pero todo depende de ti, de tu decisión y de tu invitación al Espíritu Santo para que sea parte del proceso. El único que puede lograr que ese cambio suceda, eres tú, no es la gente que te rodea.

«Porque no tenemos lucha contra sangre y carne, sino contra principados, contra potestades, contra los gobernadores de las tinieblas de este siglo, contra huestes espirituales de maldad en las regiones celestes» (Efesios 6:12).

MUNDO ESPIRITUAL

La verdadera transformación no es psicológica sino espiritual. Solo Dios puede hacerte libre. Tu vida puede cambiar por completo. ¿Será fácil? Claro que no. Vendrán momentos donde querrás dejarlo todo. Momentos cuando tu cuerpo pareciera revelarse y comienza una guerra entre tu voluntad, tu cuerpo y el Espíritu Santo. En esos instantes, es donde Satanás traerá tu pasado y lo pondrá frente a ti. Regresará con personas que nunca imaginaste que te buscarían y querrían estar contigo, personas que estaban fuera de tu alcance. Pero el enemigo los traerá para seducirte, envolverte y atarte nuevamente. Y si caes en su trampa, sentirás una culpa tan grande que creerás que es imposible volver a levantarte.

Debemos entender que Dios formó el Universo con leyes físicas, morales y espirituales. Todas son para nuestro beneficio.

> *«La ley de Jehová es perfecta, que convierte el alma; El testimonio de Jehová es fiel, que hace sabio al sencillo» (Salmo 19:7).*

Cuando obedeces los principios del Universo, tienes éxito. Si los rechazas, los desobedeces, los ignoras, y te rebelas contra ellos, saldrás herido. No puedes quebrantar las leyes de Dios, porque entonces ellas te quebrarán a ti. Aunque la Corte suprema de Justicia un día declare que ya no existe la ley de gravedad, puedes subir al techo de un edificio y saltar, pero te aseguro que te lastimarás. Porque ellos pueden decir lo que quieran, pero la ley de gravedad continúa ahí y te aseguro que te romperá a ti.

Lo mismo ocurre con las leyes morales y espirituales. No puedes mostrar desacuerdo faltándole el respeto a Dios. En cualquier ocasión que violes los principios divinos, estás buscando problemas que terminarán lastimándote, quizá no suceda en el momento, pero eventualmente ocurrirá.

Si Dios dice que está bien, hazlo.

Si Dios dice que no lo hagas, detente. Te aseguro que será para tu beneficio.

«Porque yo sé los pensamientos que tengo acerca de vosotros, dice Jehová, pensamientos de paz, y no de mal, para daros el fin que esperáis» (Jeremías 29:11).

CÓMO PUEDES HACERLO

Si has llegado a esta parte del libro es que seguramente está en tu corazón el deseo y la decisión de un cambio, no importa cuál sea tu pecado. Debes saber que la decisión es personal y nadie puede asumirla por ti.

Ahora, a través de Jesucristo, puedes cambiar la sentencia de muerte y tormento eterno que Satanás ha declarado sobre tu vida. La Palabra de Dios nos dice cómo puedes ser parte del Reino de Dios y disfrutar del regalo de la Salvación eterna: «... que, si confesares con tu boca que Jesús es el Señor, y creyeres en tu corazón que Dios le levantó de los muertos, serás salvo. Porque con el corazón se cree para justicia, pero con la boca se confiesa para salvación» (Romanos 10:9-10).

> *«Si confesamos nuestros pecados, él es fiel y justo para perdonar nuestros pecados, y limpiarnos de toda maldad» (1 Juan 1:9).*

HAZ ESTA ORACIÓN CONMIGO EN VOZ ALTA:

«Padre eterno, te pido perdón por mis pecados. Tú eres mi Dios. Sálvame, porque en Ti confío. Señor, ten piedad de mí, porque a Ti clamo. Llena mi alma de tu gozo y tu paz, porque a Ti, entrego mi alma. Pues Tú, Señor, eres bueno y perdonador, abundante en misericordia para con todos los que te invocan. Enséñame Señor tu camino. Andaré en tu verdad. Unifica mi corazón para que tema Tu nombre. Te daré gracias, Señor mi Dios, con todo mi corazón y glorificaré Tu nombre para siempre. Amén».

Si decides seguir adelante con tu vida por qué crees que estás caminando en la verdad, quiero que sepas que no puedes creer verdaderamente en Jesús y seguir siendo homosexual.

> *«¡Ay de los que a lo malo dicen bueno, y a lo bueno malo; que hacen de la luz tinieblas, y de las tinieblas*

luz; ¡que ponen lo amargo por dulce, y lo dulce por amargo!» (Isaías 5:20).

«Y en esto sabemos que lo hemos llegado a conocer: si guardamos Sus mandamientos. Él que dice: "Yo lo he llegado a conocer", y no guarda Sus mandamientos, es un mentiroso y la verdad no está en él, pero el que guarda Su palabra, en este verdaderamente el amor de Dios se ha perfeccionado; por esto sabemos que estamos en él. El que dice que permanece en él, debe andar como él anduvo» (1 Juan 2:3-6).

MENSAJE DE UN PADRE A OTRO

Padre, si estás leyendo este libro, debes saber que: lo más desalentador para un hijo es que su padre no crea en él y en su restauración. La Biblia dice que «el amor todo lo cree y lo soporta». Quizás tu hijo/a haya cometido muchos errores, pero hay un poder que los fortalece y es el de un padre que cree en ellos, a pesar de los errores del pasado.

Dios quiere que tu hijo/a se transforme en el hombre o la mujer que creó a Su imagen en todos los aspectos. Estableció la familia en la que cada padre le enseñaría a sus hijos los roles para los cuales fue creado, y a través de Su Palabra aprender cuál es la identidad correcta que propuso para nosotros. Debes saber que Él hace nuevas todas las cosas. Jesucristo es quien puede renovar y restaura su vida. Búscalo a Él en oración, ámalo, aunque todavía esté en medio del proceso. Puedo asegurarte que al igual que la oración de mi abuelo y la de mis padres, pronto verás a tu hijo/a restaurado en su verdadera imagen: su identidad en Cristo.

PALABRA ESPECIAL PARA TU VIDA:

Hoy profetizo sobre tu vida que toda raíz de iniquidad es purificada de tu alma, que todo lo que Satanás ha estado usando para mantenerte atado, es quebrado en el nombre de Jesús. Toda esterilidad en tu vida es cortada, y declaro que eres bendito y fructífero. El tiempo que pensaste que estaba perdido será como la vara de Aarón que reverdeció, floreció y dio fruto en una sola noche. Así mismo profetizo que reverdecerás y darás mucho fruto.

EPÍLOGO

EL CAMBIO EMPIEZA EN TI

Haber llegado hasta estas últimas páginas ha sido un desafío que deseo haya sido de ayuda para tu vida, que te haya sorprendido y abierto los ojos a una mejor manera de actuar ante tu realidad. Anhelo que encuentres sanidad y motivación.

Por mi parte, el cambio en mí comenzó en diferentes áreas:

- Cambió mi comportamiento
- Cambió mi motivación
- Cambió mi identidad
- Cambió mi actitud
- Cambiaron mis relaciones
- Cambió mi relación con Dios

Para continuar creciendo es importante mantener tu conexión con Dios, contigo mismo, y con los pastores o líderes que te han acompañado. Por último, quiero agregar algunas ideas para ayudarte a continuar creciendo:

1. ***Mantén siempre una confesión abierta y continua***

Recuerda que tus pecados, tus faltas y tus errores son perdonados cuando crees en Jesús y lo invitas a tu corazón, y cuando confiesas con tu boca que Él es el Señor de tu vida. Ese es el primer paso para una vida plena.

Satanás intentará todo tipo de asechanzas para que no vivas en el gozo de tu salvación, y traerá recuerdos del pasado, pero debes reconocer quién es tu enemigo y que pretenderá sacarte de la gracia de Dios y hacerte volver a tu mundo anterior.

Tu cuerpo pedirá lo que conoce. Ninguna tentación viene de cosas nuevas, todas vienen de los deseos de la carne, los deseos de los ojos, y la vanagloria de la vida. En mis primeros pasos con Jesús pasé momentos de soledad y dificultad. No me atrevía a decir nada, porque pensaba que las personas creerían que mi vida no había cambiado. Satanás estaba usando la culpa y la vergüenza para mantenerme estancado y que no se lo contara a nadie. No cometas mi mismo error. Habla con la persona que sabes que te va a ayudar. Puesto que: *«Los que encubren sus pecados no prosperarán, pero si los confiesan y los abandonan, recibirán misericordia».*

2. ***Mantén tu intimidad con el Espíritu Santo a través de la oración***

> *«Clama a mí, y yo te responderé, y te enseñaré cosas grandes y ocultas que tú no conoces» (Jeremías 33:3).*

La oración es el medio por el cual establecemos una conexión con la fuente de poder, que es Dios. Sin una disciplina de oración, serás presa fácil de Satanás. Tu vida de oración es importante. Despierta de madrugada, antes de que salga el sol, y conéctate con Dios para alcanzar un conocimiento más profundo de Su Presencia.

En este tiempo, el Espíritu Santo me enseñó la importancia de ser transparente con Él y sobre todo conmigo mismo. A solas aprendí acerca del poder y de la importancia de tener una relación íntima con Dios.

En medio de esas luchas, le hablé sobre todos mis pensamientos. Al comienzo fue muy difícil expresarle al Espíritu Santo cómo me sentía. Pero la verdad, es que Él ya lo sabe todo. Ser honesto delante de Dios eliminaba las asechanzas de Satanás lanzando pensamientos sexuales a mi mente. Fue por eso que decidí abrir mi boca y decir: «En el nombre de Jesús, rechazo este pensamiento... y Espíritu Santo te pido que vengas en mi ayuda». Inmediatamente venía a mi memoria un verso de la Biblia que me ayudaba a ordenar nuevamente mi mente.

3. *Mantén a Dios en el primer lugar de tu vida*

Para caminar en libertad, Dios debe ser tu prioridad. Hasta el día de hoy, muchas personas no entienden mi manera de ser. A veces soy radical con mis emociones y no permito que ninguna distracción se interponga en medio del Espíritu Santo y yo.

Hay cosas que son esenciales para todo creyente, pero especialmente para quien desea ser libre de la homosexualidad, es muy importante cuidar las asociaciones o alianzas. Debes alejarte de todas tus antiguas amistades, ya que ellos se volverán tu mayor tentación. Algunos de ellos no te entenderán e incluso se volverán tus enemigos.

> *«No se dejen engañar. Como alguien dijo: "Los malos compañeros echan a perder las buenas costumbres"» (1 Corintios 15:33 DHH).*

4. ***Haz del ayuno un arma poderosa***

Considera el ayuno como una de las armas más poderosas que Dios nos ha dado. Cuando ayunamos nos abstenemos de alimento, algo que representa el ser fortalecido por lo terrenal y temporal. Es entonces que a través del ayuno realizamos un cambio pasando a ser sostenidos y fortalecidos por lo sobrenatural que proviene de Dios. Debilitamos la carne fortaleciendo el Espíritu. Durante largos días de ayuno y oración mientras atravesaba momentos difíciles de mi vida, he podido escuchar la voz de Dios. Este libro es un ejemplo de ello, ya que no hubiera podido escribirlo sin ayuno y oración.

> *«¿No es más bien el ayuno que yo escogí, desatar las ligaduras de impiedad, soltar las cargas de opresión, y dejar ir libres a los quebrantados, y que rompáis todo yugo?» (Isaías 58:6).*

5. ***Escudriña la Palabra de Dios***

Para romper toda mentira de Satanás es esencial la Palabra de Dios. Ese conjunto de libros que conforman la Biblia es la manifestación de la voluntad de Dios para nuestra vida. Es el manual para nuestro diario vivir y también para las grandes preguntas de nuestros tiempos.

Cuando conoces lo que Dios dice de ti y de cada situación, te conviertes en una persona imparable, y ningún enemigo del mismo infierno podrá hacerte frente. Uno de los versos que más ministran mi vida es el siguiente:

> *«Por lo cual estoy seguro de que ni la muerte, ni la vida, ni ángeles, ni principados, ni potestades, ni lo presente, ni lo por venir, ni lo alto, ni lo profundo, ni*

ninguna otra cosa creada nos podrá separar del amor de Dios, que es en Cristo Jesús Señor nuestro» (Romanos 8:38-39)

Sé diligente para meditar la Palabra de Dios acerca de la Presencia, del carácter y de la obra de Dios en tu vida. Esto siempre debe ser lo más importante que tengas que hacer cada día. Tu destino es desarrollar la mente de Cristo en ti, para reflejar su Gloria y manifestar su carácter donde quiera que Él te use.

EL AMOR DEL PADRE

Cada día estoy más seguro de que nada me puede separar del amor de Dios, a pesar de mis errores. Si somos humildes y pedimos perdón, Él nos perdona, nos restaura y nos levanta de nuestros fracasos. Además, nos da una mayor gracia. Por esto dice: «Dios resiste a los soberbios, y da gracia a los humildes» (Santiago 4:6). *«Si confesamos nuestros pecados, él es fiel y justo para perdonar nuestros pecados, y limpiarnos de toda maldad»* (1 Juan 1:9).

El verdadero amor que buscamos desesperadamente para nuestra vida no lo encontraremos en un hombre o en una mujer, solo en nuestro Padre, aquel que nos creó, puede dárnoslo. Solo Él puede llenar ese vacío en nuestro interior, ya que fuimos diseñados para acercarnos más a Dios como Padre, a Jesucristo como nuestro Salvador y al Espíritu Santo, llamado a ser nuestro mejor amigo.

Cuando ese vacío se llena, podemos amar a los demás con el mismo amor con el que Cristo nos amó.

Las páginas de este libro describieron mis experiencias y decidí compartirlas contigo para alentarte a encontrar tu verdadero amor y tu verdadera identidad.

Si quieres **trascender** en tu vida, tarde o temprano necesitarás ser **transparente** contigo mismo para que puedas llegar a ver la **transformación** total en tu vida.

Deseo que alcances a ser el verdadero hombre o la verdadera mujer creada a imagen de Dios.

Tu amigo,
Ericsson Aguilar

Si deseas contactarme puedes hacerlo a través de los siguientes canales de comunicación:

Instagram: *ericsson_aguilar*

FB: *Ericsson Aguilar*

Email: *casadelalfarerouno@gmail.com*

Milton Keynes UK
Ingram Content Group UK Ltd.
UKHW022314170823
427072UK00006B/138